NOUVELLE-FRANCE

DU MÊME AUTEUR

ROMANS

L'ogre de Barbarie, Robert Laffont, 1972; Éditions du Jour, 1972; Boréal, 2003.
L'enfant du cinquième Nord, Seuil, 1982; Poche, 1984; Boréal, 2003.
L'ultime Alliance, Seuil, 1990; Poche, 1992.
Un bâillement du diable, Stock, 1998.

PIERRE BILLON

NOUVELLE-FRANCE

roman

LEMÉAC / ACTES SUD

Tiré du scénario du film *Nouvelle-France* de Pierre Billon, réalisé par Jean Beaudin, produit par Richard Goudreau, Nouvelle France Production Inc. une filiale de Melenny Production (Canada), Robert Sidaway, UKFS 5 Limited Liability Partnership, (R-U) et Samuel Hadida, Davis Films srl (France). Tous droits réservés.

Leméac Éditeur remercie le ministère du Patrimoine canadien, le Conseil des arts du Canada, la Société de développement des entreprises culturelles du Québec (SODEC) et le Programme de crédit d'impôt du Gouvernement du Québec du soutien accordé à son programme de publication.

Illustration de couverture :
© Christal Films Distribution
Conception graphique de Yvan Adam
Photographies de Sébastien Raymond

En guise de prélude…

J'ai pris dans ce roman quelques libertés avec la grande Histoire au profit de la petite. Des personnages réels côtoient des personnages fictifs, des événements qui ont réellement eu lieu débouchent sur des situations imaginaires. Vous ne trouverez donc pas dans ce récit le propos rigoureux d'un historien – tant s'en faut! Cela dit, la période qui précède et qui suit la bataille des plaines d'Abraham est d'une richesse dramatique fascinante autant pour le romancier que pour l'historien. Mon souhait est que le plaisir que j'ai tiré de mes lectures à ce sujet devienne contagieux et vous donne le goût d'en connaître davantage, au retour de ce voyage dans le temps avec Marie Carignan et François Le Gardeur, la petite France et son amie Acoona, le curé de Preux et son esclave Mélodie – et tant d'autres. Vous serez en bonne compagnie…

P. B.

PROLOGUE

C'était la pleine lune sur la ville de Québec, en cette nuit d'automne de 1793. Les silhouettes dénudées des arbres se découpaient sur un ciel blafard, agitées par de fortes rafales de vent. Une berline termina sa course devant l'hospice de la Miséricorde; une belle femme en descendit et, tenant son chapeau pour l'empêcher de s'envoler, courut frapper à la porte massive. Les coups du heurtoir de bronze claquèrent dans la nuit comme des détonations.

Le battant s'ouvrit enfin, laissant apparaître un petit homme ridé qui tenait une lanterne à bout de bras. Il dévisagea l'inconnue avec méfiance, écouta sa requête et s'écarta comme à regret pour la laisser entrer. Il se retourna pour scruter les ténèbres où retentissait le hululement lugubre d'une chouette. Là-bas, derrière la vitre de la voiture, il aperçut un visage qui, déjà, se retirait dans l'ombre – une tache laiteuse aux traits indistincts.

Le vieux se signa avant de refermer la porte. Puis il invita la femme à le suivre et s'engagea dans un large couloir pauvrement éclairé. Au pied d'un long escalier, il se retourna pour parler et ses yeux s'écarquillèrent de surprise : la belle dame avait disparu. Levant sa lanterne, il aperçut sa silhouette qui s'éloignait hâtivement sous les voûtes. Il poussa un grognement de contrariété et renonça à l'accompagner.

France avançait sans hésiter dans le dédale des corridors. Au passage, elle jeta un coup d'œil à une statue de saint Sébastien transpercé de flèches – la même vision du martyre qui l'avait troublée si fort quand elle n'était qu'une enfant. Tout dans l'hospice était comme trente ans auparavant ; c'est elle qui avait changé. Elle croisa deux religieuses qui glissaient dans l'ombre comme des spectres. «Pourquoi m'ignorent-elles ? pensa-t-elle, intriguée. Peut-on entrer ici comme dans un moulin ?»

Une dizaine de vieillards étaient alités dans la pénombre d'une grande chambre commune, éclairée par quelques lanternes pâles. L'arrivée de la visiteuse provoqua un courant d'air ; sous la poussée du vent, une fenêtre s'ouvrit avec fracas et les rideaux de coutil blanc se gonflèrent en claquant comme des voiles. Elle se précipita pour fermer la croisée. Le sifflement lugubre s'apaisa et les rideaux retombèrent lentement sur ses épaules, lui faisant comme un voile de mariée.

Un gémissement la fit se retourner. Dressé dans son lit, un vieil homme au teint cendreux la regardait, aussi épouvanté que s'il voyait une apparition. Sa physionomie se métamorphosa alors qu'elle s'approchait et la frayeur fit place à une expression de béatitude :

— Marie-Loup ! Ma petite Marie ! Ah, merci mon Dieu !

— Mais non, monsieur le curé, dit-elle à voix basse en lui prenant les mains. Ce n'est pas Marie-Loup. Vous ne me reconnaissez pas ? Je suis sa fille ! France...

Le vieillard reprenait lentement ses esprits. Un pauvre sourire flotta sur ses lèvres desséchées. Il parlait comme si le moindre souffle lui coûtait un effort surhumain :

— Ainsi, tu as reçu mon billet ! Je n'aurais pas dû : je n'ai pensé qu'à moi. L'espoir de ta visite m'a gardé en vie.

— Dieu soit loué ! Aussi bien ai-je quitté Paris sans regret. Avez-vous su pour le Roi ? C'est terrible ! Tout le monde a peur ! La veille de mon départ,

Marat a été poignardé par une jeune femme... Tout cela va mal finir.

— On n'entend rien ici des bruits du monde, murmura-t-il en promenant autour de lui un regard brûlant de fièvre. C'est un mouroir... Donne-moi là mon missel, veux-tu?

Il ouvrit le livre en tremblant et en tira une feuille de parchemin.

— Avant toute chose... Je ne veux pas qu'elle tombe entre des mains étrangères! À l'époque, ta pauvre mère avait refusé de la prendre. Par ma faute!

— Je sais.

France s'assit sur une chaise droite près du lit et déplia la lettre en se penchant vers le lumignon posé sur la table de chevet.

D'une voix essoufflée, le curé récita le début du texte en même temps qu'elle le déchiffrait – il l'avait lu si souvent qu'il le connaissait par cœur : «*Marie... J'ai pris les lettres de ton nom, je les ai mélangées et le verbe* Aimer *est apparu sous mes yeux. Marie la Louve aux yeux de biche! Depuis que je te connais, je deviens qui je suis. Avant, j'avais un avenir; maintenant, j'ai un destin! Depuis que tu m'as dit... que tu m'as dit...*»

Il eut un trou de mémoire et se tourna vers France pour lui demander la suite. Il tressaillit en voyant qu'elle avait posé la lettre sur ses genoux et le dévisageait avec une intensité douloureuse :

— Pourquoi? Mais pourquoi? demanda-t-elle d'une voix rauque, les yeux soudain gonflés de larmes.

Le vieillard leva une main décharnée et se cacha le haut du visage. Il tenta de répondre mais, étranglé par la honte et le remords, il fut incapable d'émettre le moindre son.

CHAPITRE 1

Orphelin de mère au jour de sa naissance, François Le Gardeur avait grandi dans l'ombre d'un père irascible et autoritaire. Avec le temps, leur relation s'était détériorée et, à dix-neuf ans, il quitta la maison familiale pour aller étudier à Montréal, puis à Paris où il fit les quatre cents coups et troussa plus d'un jupon. Beau garçon, baroudeur sympathique qui n'avait froid ni aux yeux ni au cœur, joueur et aventurier, il avait fini par se lasser des salons, des tripots et des maisons closes de la Ville lumière et, de retour au pays, était parti courir les bois à la découverte de son immense terre natale qui s'appelait alors la Nouvelle-France. Chasseur et trappeur, il s'était associé avec Owashak, un Abénaquis élevé chez les jésuites à Trois-Rivières et qui, lui aussi, avait renoncé aux attraits de la civilisation pour répondre à l'appel des grands espaces.

Un événement imprévu changea du jour au lendemain le destin de Le Gardeur. Ce beau matin de printemps, il était assis au bord de la Kijé Manito, une rivière aux rapides tumultueux qui coulait près du village d'Odanak, et observait des enfants qui s'amusaient à marcher en équilibre sur un tronc d'arbre flottant, immobilisé entre deux rochers près de la rive.

Owashak était occupé à apprêter les peaux des animaux qu'ils avaient trappés ensemble durant l'hiver. Son chien Miskou, assis près de lui, observait attentivement chacun de ses gestes. Son immobilité était trompeuse : c'était un animal redoutable qui avait déjà mis en fuite une meute de loups. Assis sur une pierre, François était plongé dans un petit livre à reliure de cuir – une activité que les habitants du village se gardaient bien d'interrompre, car ils y voyaient une manière d'incantation.

— Écoute ça, dit-il en se tournant vers Owashak. *«Je réponds ordinairement à ceux qui me demandent raison de mes voyages : que je sais bien ce que je fuis, mais non pas ce que je cherche.»*

— Et tu fuis quoi, l'ami?

— La corruption et l'hypocrisie, répondit-il après un temps de réflexion.

— Alors il te faut apprendre à courir vite... et loin! À propos, le Grand Comptoir, tu connais?

— Une clique de négociants... les fournisseurs attitrés de l'intendant Bigot. À Québec, on a surnommé leur entreprise *La Friponne*. Si tu as l'intention d'aller leur vendre nos pelleteries, tu ferais bien de te tenir sur tes gardes.

Owashak accueillit le conseil avec un haussement d'épaules. Une amitié fraternelle s'était développée entre ces deux hommes si différents l'un de l'autre, unis par une même quête. Tout en continuant la discussion, Le Gardeur gardait un œil sur les enfants qui se poursuivaient en riant au bord de la rivière. Soudain il se dressa d'un bond en criant un avertissement. Le tronc d'arbre s'était brusquement dégagé des rochers qui l'immobilisaient et pivotait sur lui-même. Lakmé, une fillette de huit ans, perdit l'équilibre et tomba dans les flots.

Déjà Le Gardeur avait atteint le bord de l'eau et plongeait. Il réussit à saisir la petite qui se débattait furieusement et tenta de l'amener vers la rive; en vain : le courant était trop fort. Il se laissa alors dériver en luttant de toutes ses forces pour atteindre un gros rocher qui avançait dans le lit de la rivière.

Owashak apparut au sommet du promontoire et se jeta à plat ventre pour tendre une branche d'arbre à la fillette qui réussit à l'agripper de justesse et à se hisser auprès de lui. Le Gardeur essaya de la suivre, mais la pierre était trop glissante et il retomba, aussitôt happé par les tourbillons. Il réapparut plus loin, à demi étouffé, le temps d'apercevoir Owashak qui plongeait du haut du rocher. Puis il fut englouti à nouveau par les rapides, cette fois pour de bon.

L'intérieur de la maison familiale baignait dans une pénombre granuleuse et éthérée. Le Gardeur avança vers le lit où reposait la dépouille d'un vieil homme au visage émacié. Une chandelle achevait de se consumer sur la table de chevet. Alors qu'il posait la main sur le front du cadavre, une grosse blatte émergea de sous l'oreiller et fila sur le drap. Il se pencha pour l'attraper et sursauta d'effroi : le vieillard lui avait saisi le poignet et s'agrippait à lui, les yeux vitreux. Il fit un bond en arrière pour se dégager de l'étreinte. La main décharnée retomba sans vie et une chevalière glissa de l'annulaire pour rouler sur le plancher.

Le Gardeur s'agenouilla pour aller la chercher et fut pris de nausée en apercevant sous le lit un poisson qui tressautait en ouvrant et fermant la bouche, au bord de l'asphyxie.

La petite Lakmé entra dans le wigwam. Sa chevelure était encore humide et emmêlée. Elle tenait contre elle une poupée artisanale au vêtement de fourrure décoré d'une broderie de perles chatoyantes. Elle passa devant Owashak et le vieux chaman du village qui discutaient à voix basse et s'approcha de Le Gardeur, étendu sur une couche faite de peaux et de branches de mélèzes. Ses vêtements lui avaient été retirés et il se remettait de sa noyade, encore livide et nauséeux.

La fillette le dévisagea d'un air sérieux, indifférente à sa nudité. Elle lui présenta sa poupée.

— C'est pour toi pour toujours, dit-elle en abénaquis. Elle est à moi.

Le Gardeur secoua la tête et murmura avec un pâle sourire :

— Si elle est à toi, tu dois la garder.

— Ce qui est à moi, maintenant c'est à toi. C'est pour ta fille.

— Tu es gentille... Sauf que je n'ai pas d'enfant.

— Ça fait rien, elle t'attend pour que tu lui donnes, répéta Lakmé en posant la poupée à côté de lui. C'est comme ça.

Elle lui fit un brusque sourire et sortit sans se retourner. Owashak vint la remplacer au chevet de son ami :

— Le chaman dit que tu as vu ton père.

— Mais je... Comment le sait-il ? J'ai dû délirer.

— Il a besoin de toi.

— Mon père ? Ce serait bien la première fois !

— Il n'y en aura peut-être pas d'autre. La corruption et l'hypocrisie, c'est lui ?

— Lui, c'est surtout l'argent. Mais les trois font la paire ! Je lui ai écrit à mon retour à Montréal, mais il n'a pas daigné me répondre.

— Il t'a répondu aujourd'hui, dit Owashak en s'éloignant.

Le Gardeur ferma les yeux en secouant la tête. Il murmura pour lui-même : «Au diable les superstitions !»

Le lendemain à l'aube, il partait pour Québec.

La demeure familiale des Le Gardeur comptait parmi les premières maisons de l'architecte Chaussegros. Ses murs de grès flammé, son toit à deux versants et ses trois cheminées se dressaient fièrement sur la Grande-Allée, non loin de la porte Saint-Louis. On apercevait de là le cimetière de l'église des jésuites, où un vieil homme arrangeait des fleurs sur une tombe fraîchement comblée. Un bruit de pas le fit se retourner, sur la défensive. Que lui voulait cet inconnu hirsute, vêtu comme un coureur des bois ? Il rencontra son regard et tressaillit.

— Est-ce possible? balbutia-t-il, effaré. C'est toi? Bonté divine!

— Jean-Baptiste, toujours fidèle à toi-même! dit Le Gardeur en serrant le vieux serviteur dans ses bras.

— Fidèle à autrui aussi bien. Mon pauvre François, tu… tu arrives trop tard.

Le Gardeur se recueillit quelques instants devant la tombe. Il s'en voulut de n'éprouver ni remords ni chagrin. Jean-Baptiste lui lança un regard intrigué :

— On t'a fait chercher partout! Mais aussi, quelle idée de disparaître dans les bois comme un sauvage! Avec ton éducation!

— Justement! Je suis allé la compléter. Pour découvrir que les choses les plus importantes ne s'apprennent pas dans les livres. Et, parlant de sauvage : un ami doit venir me rejoindre à Québec dans les prochains jours. Il se nomme Owashak, c'est un frère pour moi. Réserve-lui un bon accueil, veux-tu?

— Un frère? Ce n'est pas rien.

— Je ne te le fais pas dire. À présent, rentrons! Je veux bien que la prémonition de la mort soit pré-monition de la liberté, il n'empêche que la fréquen-tation des cimetières ne me réjouit guère…

Les deux hommes gagnèrent la maison en silence.

Plus tard, après avoir servi le dîner, Jean-Baptiste proposa à Le Gardeur de lui tailler les cheveux et de le raser de frais.

— Il y a longtemps que je ne me suis vu dans un miroir, dit François. Mais à la façon dont tu me dévi-sages, je crois deviner qu'une coupe s'impose.

Le vieux serviteur noua un drap au cou du jeune homme et se mit à l'ouvrage avec application. Ses gestes témoignaient à son insu de l'affection qu'il lui portait :

— Je désespérais de te voir jamais revenir. Qui t'a averti?

— Mon père… autrement dit personne! Non, ne cherche pas à comprendre.

— Bien des choses m'échappent, en effet. Pas plus tard que le mois dernier, ton père m'a donné des instructions à ton sujet...

Jean-Baptiste sortit de son gilet une bague en or portant des armoiries et la tendit à Le Gardeur qui l'examina avec un sentiment de malaise : c'était la même bague qu'il avait vue en rêve quelques jours auparavant.

— Pourquoi ne l'as-tu pas enterrée avec lui?

— J'obéis à ses dernières volontés.

Il le força à accepter la chevalière et fronça les sourcils en voyant qu'il la glissait dans sa poche avec indifférence.

— Tu ne veux pas la porter?

— Il faut d'abord qu'on fasse la paix, mon père et moi. Cela pourrait prendre du temps…

Le vieil homme soupira et reprit après un silence :

— Les papiers sont prêts et le notaire attend ta visite. Les comptes à recevoir sont nombreux. Il ne faudrait pas que tes débiteurs profitent de la situation... M'écoutes-tu? Tu n'as pas l'air intéressé.

— T'a-t-il laissé une rente?

— Certes, et je lui en suis très reconnaissant. Modeste, mais suffisante…

— Je la double. Et si tu me remercies, je la coupe de moitié! À présent, pouvons-nous parler d'autre chose que de gros sous?

— Il n'y a pas que l'argent! M. Le Gardeur s'était porté acquéreur du moulin du Noroît, une entreprise importante. Le meunier Carignan est dorénavant ton obligé, comme il l'est de M. Bigot. Et à ce propos…

— Assez, Jean-Baptiste! Tu me rases et tu m'ennuies. C'est beaucoup pour un seul homme.

En fin de soirée, dans l'éclairage vacillant de trois chandelles, François se retrouva seul, assis à la table de travail de son père. L'atmosphère était étouffante dans le petit bureau mansardé ; était-ce à cause des livres poussiéreux qui débordaient des rayons ou à cause des souvenirs qui rendaient encore tangible l'austère présence du défunt ? Le silence fut troublé un instant par une branche frappant aux carreaux de la fenêtre. « C'est le vent, rien d'autre ! » pensa-t-il, mal à l'aise. Il laissa errer son regard sur les possessions de celui qui n'était plus – les registres, les bibelots, les pipes, la tabatière en argent ciselé. Il ne prit aucun objet, se contentant de les effleurer du bout des doigts, comme pour tenter de rétablir un contact rompu – rompu depuis longtemps ou depuis toujours ? Il soupira, en proie à une émotion qui montait en lui de nulle part. « M'a-t-il jamais aimé ? » se demanda-t-il. Les craquements des boiseries de la maison lui donnèrent une réponse indéchiffrable à une question qui lui faisait mal.

CHAPITRE 2

C'était jour de marché sur la Grand'Place. Les étalages étaient nombreux, mais modestement garnis : l'époque était à la disette plus qu'à l'abondance – une situation que la milice de l'intendant Bigot aggravait en rançonnant les fermes sous prétexte de nourrir l'armée. Un peu à l'écart, des Amérindiens offraient des mocassins, des bourses en peau de chevreuil, des colliers de quartz et de pyrite de fer. Il y avait aussi des paysans qui débitaient du bois de corde, un raccommodeur de paniers d'osier, un marchand de lanternes, un vinaigrier et un affûteur de couteaux.

Marie-Loup Carignan et France, sa fille de neuf ans, se tenaient près de l'église devant une charrette qui faisait office d'étal à un assortiment de tisanes, de racines médicinales, de confitures et d'objets d'artisanat : des broderies sur toile de lin et des bonnets crochetés. Elles étaient en grande discussion avec Le Joufflu, un paysan rubicond qui, malgré l'heure matinale, était déjà gentiment éméché. Leur échange fut interrompu par l'arrivée en trombe d'une jeune sauvagesse qui, surgissant d'une ruelle du côté de l'auberge *Au Chien-qui-dort*, courait pieds nus, talonnée par un soldat dont le visage grimaçant de rage portait une balafre sanguinolente.

Agile et rusée, l'adolescente (elle n'avait pas plus de quinze ans) se faufilait entre les étalages en sautant par-dessus les cageots et les paniers. Des protestations et des cris fusaient de toutes parts, cependant que des marchandises étaient renversées et que des bouteilles se brisaient sur le pavé. Dans leur coin, les marchands amérindiens regardaient la scène sans bouger. Non sans raison : des soldats étaient venus se placer devant eux, le mousquet à la diagonale.

Débouchant de la haute ville, une luxueuse calèche tirée par des chevaux noirs s'arrêta au sommet de la petite côte dominant la Grand'Place. Des regards craintifs, sournois ou ouvertement hostiles se tournèrent vers le couple assis dans la voiture : François Bigot, l'intendant de la Nouvelle-France, et Angélique de Roquebrune, sa maîtresse. L'attelage était protégé par une escorte conduite par Xavier Maillard, le capitaine de la milice. Tous trois observèrent la fuite affolée de la jeune sauvagesse avec un cynisme amusé.

Le Gardeur sortit à cet instant de l'auberge, attiré par le bruit. Sa métamorphose de la veille était maintenant complète : il avait changé sa tenue de trappeur pour un vêtement de ville propre et bien coupé. Maillard l'aperçut de loin et une stupéfaction incrédule se peignit sur son visage. Remarquant sa surprise, l'intendant Bigot l'interrogea à voix basse. La réponse de Xavier l'intéressa visiblement et il se pencha pour lui donner ses instructions.

Là-bas, la fugitive venait de se blesser en posant le pied sur un tesson de bouteille. Elle n'en continua pas moins sa course, mais se trouva bientôt acculée contre l'église. Le soldat s'avança avec un rugissement de triomphe. La Grand'Place était devenue soudain étrangement silencieuse.

Profitant de la fausse accalmie, Marie-Loup bondit pour empêcher l'homme d'atteindre sa proie. Elle l'apostropha d'une voix claire et gouailleuse en pointant du doigt son visage balafré :

— La belle décoration, c'est pour ta bravoure ? Ou p't-être ben que t'as voulu la baptiser avec ton saint chrême ?

Des rires s'élevèrent autour d'eux. Furieux, le soldat fonça sur Marie-Loup qui se déroba avec souplesse. Il revint à la charge en grondant, mais elle le fit trébucher d'un croc-en-jambe. Des applaudissements s'ajoutèrent aux rires. Soudain la petite France poussa un cri aigu : l'assaillant s'était redressé, un poignard à la main. Marie-Loup tourna la tête et recula devant le danger. Son pied heurta un cordage et elle tomba à son tour. Elle se vit perdue et leva le bras pour se protéger le visage.

Le Gardeur s'était précipité pour lui porter secours, mais il s'arrêta en voyant que le capitaine Maillard l'avait devancé pour renverser le soudard d'un violent coup d'épaule. Puis il le prit par les cheveux, lui frappa le visage contre le pavé avant de lui relever la tête pour le forcer à regarder vers le haut de la place.

L'intendant Bigot s'était dressé dans sa calèche et, d'un geste dédaigneux, ordonna au soudard de dégager le terrain. Il se rassit sans cesser d'observer Marie-Loup, puis se pencha pour dire quelques mots à l'oreille d'Angélique.

Le balafré se défila sous les quolibets de la foule. Acoona en profita pour s'esquiver en boitant.

France vint se blottir contre sa mère qui la rassura en lui caressant les cheveux :

— Tout doux, mon ange, tout doux! Viens, on dirait que notre étal intéresse le beau monde…

En traversant la place, Marie-Loup sentit un regard posé sur elle. Elle tourna la tête et aperçut Le Gardeur appuyé au mur de l'auberge, les bras croisés. Elle continua sa marche en feignant de l'ignorer; mais, après quelques instants, elle ne put s'empêcher de regarder par-dessus son épaule. Le bel étranger était toujours là et ne la quittait pas des yeux.

En approchant de son étal, elle découvrit que Mlle de Roquebrune avait ouvert un pot de confiture qu'elle goûtait du bout du doigt. La petite France était visiblement indignée par un tel sans-gêne, mais sa mère n'eut pas l'air de s'en offusquer.

— Tu as pris des risques, ma mignonne! dit Angélique; puis, s'adressant à France : Ta sœur est-elle toujours aussi téméraire?

— D'abord c'est pas ma sœur, c'est ma mère!

— Si jeune?! dit-elle en dévisageant Marie-Loup.

— Je me suis mariée à quatorze ans, madame.

— Ne me dis pas! Dégourdie comme tu es... ton mari ferait mieux de te tenir à l'œil!

— Il me surveille... de là-haut!

— Veuve, déjà? Quel malheur! dit-elle en retenant un petit sourire satisfait. Elle abaissa le regard vers France et murmura : Pauvre petite!

— Je suis pas à plaindre... madame!

Du bout de son éventail, Angélique caressa la joue de la fillette qui se déroba et s'éloigna en courant. Elle sourit, amusée, et prit une petite jarre de liniment pour en examiner le contenu :

— Il paraît que tu as plus d'un tour dans ton sac, ma jolie. N'aurais-tu pas un onguent pour effacer les premières rides... et les suivantes?

— Pas aujourd'hui, madame. Mais je peux vous en préparer un pot. Une recette qui fait merveille. J'ai aussi des philtres d'amour!

— Je te les paie d'avance. Sais-tu que tu as les plus beaux yeux du monde?

Elle la dévisageait avec un imperceptible sourire. On devinait en elle une séductrice rouée et secrètement perverse.

— On me l'a déjà dit. Ce qu'on m'a pas expliqué, c'est pourquoi tout ce qu'ils ont vu de misère et d'injustice ne les a pas ternis.

Angélique considéra la jeune paysanne avec étonnement et murmura, comme pour elle-même : «Et intelligente, par-dessus le marché!» Elle déposa de l'argent sur l'étal en demandant que la marchandise lui soit livrée le plus tôt possible, puis fit demi-tour et s'éloigna la tête haute, consciente des regards envieux qui se tournaient sur son passage.

Le Gardeur avait observé la scène de loin et hésitait à rejoindre Marie-Loup. Il choisit plutôt d'aller parler à la petite France qui, assise sur un haut tonneau, était plongée dans la lecture d'un

abécédaire aux pages écornées. Les sourcils fron-
cés, les lèvres mobiles, elle suivait du doigt les
mots qu'elle s'appliquait à déchiffrer. Soudain, une
ombre se projeta sur sa page et elle leva la tête. Un
étranger était devant elle et l'observait en souriant :

— C'est toi qui as crié tantôt... Tu as bien fait! Tu
t'appelles comment?

— France.

— Et moi François, dit-il en s'inclinant pour lui
faire le baisemain. Mes compliments!

De saisissement, la fillette laissa échapper son
abécédaire. L'inconnu se moquait-il d'elle? Il
ramassa le livre et, en le lui rendant, désigna Marie-
Loup du regard :

— Et elle... elle s'appelle comment?

— Marie Carignan. Sauf que tout le monde ici
l'appelle Marie-Loup. C'est parce qu'elle peut voir
dans le noir.

Marie-Loup s'approcha, intriguée par leur conversation. Le Gardeur la dévisagea en clignant des
yeux, comme ébloui.

— Merci pour la belle leçon, Marie-Loup! Vous
êtes une femme courageuse.

— C'est pas difficile... les hommes sont si lâches!

— Tous?

— Mettons qu'il y a des exceptions... N'empêche
que j'ai eu la peur de ma vie!

— C'est la preuve qu'il n'y a pas de bravoure s'il
n'y a pas de peur.

Montrant l'abécédaire, il ajouta :

— Comme ça, vous lui enseignez à lire? C'est le
plus beau des cadeaux.

— Elle le mérite!

France tressaillit et ouvrit la bouche pour parler,
mais elle se tut et regarda Le Gardeur qui dénouait
son foulard pour essuyer une traînée de poussière
sur la joue de sa mère.

— Merci, dit Marie-Loup en s'écartant. À qui ai-je
l'honneur?

— François Le Gardeur, pour vous servir.

Elle se raidit et le toisa d'un regard droit.

— Nous servir?! Voilà qui est nouveau! Le meunier Carignan est mon père, et si je ne m'abuse, Louis Le Gardeur était le vôtre. Paix à son âme!

François s'apprêtait à répondre lorsqu'une main s'abattit sur son épaule. Il fit demi-tour et se trouva face au capitaine Maillard. Il lui donna l'accolade avec une exclamation joyeuse.

— Xavier! Tantôt, en te voyant de loin, j'ai hésité! Faut dire qu'avec la moustache en moins et les galons en plus…

Marie-Loup adressa un petit salut de la tête au capitaine :

— Vous êtes arrivé au bon moment! dit-elle.

— Voulez-vous dire maintenant ou tantôt?

Elle se détourna avec un haussement d'épaules. France lui emboîta le pas, non sans lancer un regard espiègle et complice au bel étranger.

Maillard invita Le Gardeur à le suivre dans l'auberge. Ils s'attablèrent devant la porte-fenêtre ouverte sur la Grand'Place.

— Mes condoléances, François. Il a fallu procéder aux funérailles en ton absence. Personne ne savait où te prendre.

— Me prendre ou me pendre?

— C'est ta langue qui est bien pendue! Fichtre, le deuil ne semble pas t'avoir assagi. Il est vrai que s'il faut en croire les rumeurs, vous étiez un peu fâchés, ton père et toi.

D'un geste de la main, Le Gardeur signifia qu'il préférait passer la chose sous silence. Puis, examinant Maillard de pied en cap, il dit avec une moue d'appréciation qui n'était pas dénuée d'ironie :

— Capitaine de la milice! Tu n'as pas perdu ton temps!

— Après trois ans d'études à la Sorbonne, il m'était devenu impérieux de passer à l'action. N'empêche que c'était la belle époque!

— Et les nuits étaient courtes. Surtout avec la belle Claire de Portal!

L'aubergiste posa sur la table un pichet de vin rouge et deux gobelets d'étain.

— Mademoiselle de Portal... Tiens, je l'avais oubliée celle-là! Mais pas toi, à ce que je vois! Il fallait demander, mon ami. Tu sais bien qu'avec toi, j'aurais tout partagé.

— On dit ça! Et moi qui te voyais déjà notaire à Paname avec pignon sur rue.

— J'avais mieux à faire ici. Bâtir un pays... une nouvelle France!

— S'enrôler dans la milice, est-ce vraiment la meilleure façon de bâtir un pays?

— Et courir les bois avec les Sauvages, quand les Anglais nous escarmouchent de partout! C'est mieux, peut-être?

— C'est moins nocif à l'âme que la promiscuité du pouvoir.

Maillard se raidit et sa voix se fit moins amicale :

— L'intendant Bigot m'a chargé d'un message important. Il veut te rencontrer ce soir, ici même.

— Une invitation ou une convocation?

— Ne joue pas au plus fin avec lui. Il n'aime pas les godelureaux, je t'avertis! Holà, tu m'écoutes?

Le Gardeur suivait des yeux la belle Marie-Loup qui traversait la place, l'allure décidée.

— Dommage que je ne sois ici que de passage, murmura-t-il.

— Ne me dis pas que tu donnes maintenant dans la paysannerie! Québec ne manque pas de filles plus dégourdies. Et avec ce qu'il faut de vernis pour ne pas faire tache en société. Sans compter que ton héritage va les attirer comme des mouches!

— Ces filles de la haute société... tu crois qu'elles risqueraient leur vie pour une petite sauvagesse?

Le Gardeur fit signe au tenancier de venir encaisser les consommations. Il tira un écu de sa poche, le mit ostensiblement dans la paume de sa main, puis la retourna et rouvrit les doigts : l'écu s'était changé en une poignée de menue monnaie qui tomba sur la table en cascade. Maillard, éberlué, éclata de rire :

— Sacré François, t'as pas changé! Mais c'est quoi cette histoire de n'être ici que de passage? Maintenant qu'on t'a retrouvé, on ne va pas te laisser repartir si facilement!

François ne répondit pas. Quelque chose dans l'intonation de son ami le mettait mal à l'aise.

France rejoignit sa mère en courant, son abécédaire à la main.

— Pourquoi tu lui as pas dit que c'est monsieur le curé qui m'apprend à lire? T'as honte de pas savoir?

— C'est pour ton grand-père que j'ai honte. Les études, pour lui, c'est seulement bon pour les garçons.

— Comme ça, je vais être plus intelligente que toi...

— Disons que tu vas être plus instruite. Tu sais, l'intelligence n'est pas dans la tête, elle est là, dans le cœur. La seule chose qui m'importe, ma chouette, c'est que tu ne restes pas ignorante. Parce qu'elle est là, la vraie liberté.

— Tu sais que je t'aime? dit la fillette après un silence.

— J'oublie toujours. Faut me le répéter souvent!

— J't'aime, j't'aime, j't'aime, j't'aime...

Elles firent halte dans le coin de la Grand'Place où se tenaient les Amérindiens. La vieille Matawa soignait le pied d'Acoona : elle avait mis une mixture de moisissure et de miel sauvage dans l'entaille et refermait la plaie avec une aiguille en os et un fil de boyaux. Pour ne pas crier, la jeune fille mordait dans une épaisse courroie de cuir, les yeux gonflés de larmes.

Matawa lança un regard vif à Marie-Loup qui lui répondit par un signe d'amitié. Mais le visage ridé resta impassible et se détourna presque aussitôt.

— Elle pourrait dire merci, dit France à voix basse.

— Elle m'a dit merci à sa façon. T'as pas re-marqué?

Elle fit signe à France d'attendre et alla s'accroupir près de la vieille pour lui dire quelques mots en abé-naquis. Matawa finit de recoudre la plaie d'Acoona, puis ouvrit une boîte en écorce de bouleau et la remplit d'herbes et de racines médicinales en donnant des instructions à voix basse. Elle ajouta :

— Prends garde à l'homme qui commande!

— Bigot? Que le diable l'emporte! En plus de nous dépouiller, il se divertit en regardant ses sol-dats violer nos filles.

— Acoona n'est pas ta fille.

— Acoona est ma fille, tout comme France…

Debout en retrait, France échangea un regard avec l'adolescente qui essuyait ses dernières larmes. Elle lui fit un sourire d'encouragement et se rendit compte à cet instant qu'elle avait un goût de sang dans la bouche – elle n'avait cessé de se mordre les lèvres en observant l'opération.

Le forgeron Colosse portait bien son nom. C'était un géant au début de la quarantaine, au sourire timide et aux yeux doux. Sa tête touchait presque la poutre centrale qui soutenait le toit de son échoppe. Il s'approcha d'un piège à ours laissé grand ouvert sur le sol de terre battue et posa une solide bûche entre les mâchoires redoutables qui se refermèrent avec un claquement puissant.

Le visage rude et austère du meunier Carignan s'éclaira d'un petit rictus satisfait :

— J'achète! Et tu m'en fais deux autres à moitié prix. Ça sera un cadeau pour les gredins qui braconnent la nuit sur mes terres.

La petite France fit irruption dans la forge, suivie de sa mère et de Mélodie, la servante du curé, une jeune Antillaise au caractère jovial et nonchalant.

Le meunier apostropha Marie-Loup avec humeur :

— Eh bien, ma fille! On raconte partout que t'as fait la nique aux soldats. Et sous le nez de l'intendant! Tu crois que c'est un bon exemple pour la petite?

— Et pourquoi pas? Ça lui a montré comment une pucelle doit défendre sa vertu. Allons, père, vous fâchez pas! Les mauvaises langues ont grossi l'affaire, comme d'habitude.

Elle changea habilement le cours de la conversation en lui demandant de ramener France à la maison, car elle venait d'apprendre par Mélodie que le pauvre curé de Preux avait un besoin pressant de ses bons offices.

— J'pense que le pauvre homme ne passera pas la nuit, dit Carignan d'un ton rogue. À matin, le ciel au levant était noir de corneilles. C'est un signe qui trompe pas.

Colosse avait ramassé le piège pour le porter sur son établi. Au passage, il coula un regard intéressé vers Mélodie.

— Pourquoi tu me regardes comme ça? dit-elle.

— Je te regarde pas comme ça.

— Si, tu me regardes comme ça!

— D'abord, je te regarde plus, fit-il en baissant la tête.

— Moi j'ai rien contre que tu me regardes, comme ça ou autrement!

Elle se détourna et se mit à courir pour rattraper Marie-Loup qui marchait vers le presbytère:

— Attends-moi! Je suis vraiment inquiète pour le curé, tu sais. Il crache tout jaune et il a encore perdu des cheveux. Tu crois qu'il va mourir?

— Je sais pas. Tout de même, il est plus vigoureux qu'on pense.

— Attends de le voir. Parce que s'il rend l'âme, je deviens quoi, moi? Je vais te dire un secret: tout le monde ici croit que je suis sa servante, sauf que c'est même pas vrai! Il m'a achetée d'un capitaine portugais.

— Toi, une esclave? Tu me fais marcher!

— Mais je me plains pas! Il me traite mieux que si j'étais rien qu'une domestique. Il me paie pas, mais il me loge, il me nourrit, il m'habille. C'est pas rien, ça!

— Il te déshabille aussi un petit peu, pas vrai?

— Ce serait péché! La preuve, c'est qu'il me l'a même pas demandé.

— Me dis pas qu'il t'a jamais touchée!

— Jamais! C'est moi qui le touche, pour le soulager de son poisseux. Il dit que ça l'aide à chasser les pensées impures... surtout quand il te voit.

Marie-Loup, interloquée, ne sut que répondre. Avant d'entrer dans le presbytère, elle observa le ciel :

— On va avoir un bel orage. J'aime ça!

Mélodie lui lança un regard surpris :

— T'es drôle, toi, des fois...

À l'intérieur du presbytère, un trio de commères épiait par la fenêtre l'approche de Marie-Loup et de Mélodie. La plus âgée, Hortense, se pencha vers ses compagnes, les yeux luisants :

— La Carignan avec son sac à malices! Pis ça la gêne même pas de s'afficher avec la négresse. Moi je vous le dis : elles feraient des messes noires toutes nues dans le bois avec les sauvages que ça m'étonnerait pas!

Les trois femmes se hâtèrent de quitter leur poste de guet. Quand Marie-Loup fit son entrée, elle les trouva agenouillées, récitant des prières dans un coin de l'entrée en se lamentant à grand renfort de soupirs et de gémissements. Elle les prit à partie sans ménagement :

— Vous faites quoi, là? Allez, rentrez chez vous! Vous attirez la guigne. Et pas besoin de vous mettre à trois pour avoir l'oreille du bon Dieu. Il est pas sourd!

Les vieilles sortirent en courbant l'échine, avec des regards noirs et des marmonnements hostiles.

Marie-Loup entra dans la chambre et trouva le curé affaissé dans un fauteuil. Solide gaillard approchant la cinquantaine, il était à l'instant dans un état lamentable. Il avait du mal à respirer, son visage en sueur était couvert de pustules sanguinolentes et un tremblement incessant faisait claquer ses mâchoires.

Mélodie s'approcha pour lui bassiner les tempes avec un linge mouillé, mais il l'écarta – pour mieux voir Marie-Loup :

— Ma petite… Tu es venue me dire adieu. J'ai toujours prêché… que l'homme est sur terre… pour gagner son ciel ! Mais je n'aurais pas détesté… vivre un peu plus longtemps… ne serait-ce que pour mieux mériter ma place au paradis !

— Qui parle de mourir ? En voilà une folie ! J'ai apporté ce qu'il faut pour vous guérir. Tiens, Mélodie, jette ça dans de l'eau bouillante, veux-tu ?

Elle sortit de son cabas le gousset préparé par la vieille Matawa. La servante s'éloigna, empressée.

Un éclair illumina soudain la chambre, suivi d'un coup de tonnerre fracassant. Marie-Loup baigna pendant une seconde dans une aura d'une blancheur éclatante. Cette vision plongea le malade dans une sorte d'extase. Il saisit la main de Marie-Loup et la porta en tremblant à ses lèvres :

— Tu n'avais pas six ans… que déjà… je savais que tu étais *différente*. Je me suis attaché à toi… comme si tu étais ma fille… et davantage même que ma fille.

— Calmez-vous, monsieur le curé ! La fièvre vous fait dire des bêtises.

Une pluie drue poussée par le vent se mit à frapper les vitres. Dehors, la place de l'Église fut révélée par de nouveaux éclairs.

Le malade lâcha la main de Marie-Loup lorsque Mélodie revint avec un gros bol fumant, d'où émanait une odeur de réglisse et de conifère. Elle lui donna la potion à l'aide d'une petite louche en bois, en soufflant sur chaque cuillerée pour la refroidir. Il avala la mixture en grimaçant.

— C'est bien pour te faire plaisir, dit-il en continuant à ne s'adresser qu'à Marie-Loup. Puis son visage s'assombrit alors qu'il ajoutait : Que vas-tu devenir quand je ne serai plus là pour te protéger… de mes prières ? Il faut te remarier, ma petite ! À ton âge… ce n'est pas bien de rester fille. La solitude favorise… les pensées impures.

Marie-Loup rencontra le regard de Mélodie et baissa la tête en rougissant. Elle savait à quoi s'en tenir sur les pensées secrètes du curé. Entre deux gorgées de potion, il poursuivit, de plus en plus essoufflé :

— Le bon Dieu attend que tu donnes… d'autres enfants à l'Église. Tu as vécu cinq ans avec feu ton mari… et tu n'as qu'une fille ! Qu'est-ce à dire ? Tu n'as pas tenté… d'empêcher la famille, dis ? Ce serait péché mortel !

Elle secoua la tête pour protester de son innocence :

— Gosselin – paix à son âme – il était toujours trop pressé. L'aurait fallu qu'il prenne son temps… qu'il vienne plus profond !

Le curé poussa un profond soupir et se cacha les yeux de la main, comme pour s'empêcher de voir des images insoutenables :

— Plus profond… Oh oui !

Un nouvel éclair illumina la chambre, suivi d'un long roulement de tonnerre.

Dans l'écurie de la ferme familiale, France était occupée à traire la Blanchette. L'orage était à son paroxysme et des trombes d'eau s'abattaient avec fracas sur les bardeaux de la toiture. Dans la stalle voisine, un cheval grattait le sol de son sabot. Soudain, la fillette sursauta, car un éclair lui avait révélé une présence immobile au fond de l'écurie.

— C'est qui ? cria-t-elle, effrayée.

Acoona émergea de la pénombre en claudiquant, les cheveux dégoulinants et les vêtements trempés.

— Tu fais quoi ici ? Comprends-tu ce que je dis ?

L'adolescente hocha la tête et tira d'une pochette en babiche attachée à sa ceinture un collier de pierres polies et de perles multicolores – un bel objet d'artisanat amérindien. Elle le tendit à France :

— C'est pas pour toi, c'est pour ta mère ! Matawa dit qu'elle a la peau d'un visage pâle et le cœur d'une Abénaquise.

— C'est vrai qu'elle a peur de rien ! Elle les aurait jamais laissés te faire du mal.

— L'homme qui t'a embrassé la main... y veut quoi ?

— Ma mère. J'ai essayé de lui dire, mais elle veut pas en parler.

— Elle a peur de lui ?

— Oui, mais c'est parce qu'elle le trouve de son goût. C'est compliqué l'amour !

— Oui, c'est bon d'en rêver...

France se rendit compte qu'Acoona lorgnait le lait avec envie. Elle lui tendit le seau et la regarda boire avec avidité. Puis elle avança le bras et posa délicatement la main sur la poitrine qui transparaissait dans la robe détrempée :

— Moi j'ai pas encore des seins, dit-elle. Quand qu'y auront poussé et que j'aurai saigné, Maman dit que les garçons ne me laisseront plus tranquille. Toi, on te court déjà après...

— Oui, mais les garçons, c'est moi qui les choisis !

Acoona sourit pour la première fois. Le lait lui avait fait une moustache blanche. France lui sourit en retour.

Une amitié était née.

CHAPITRE 3

La Grand'Place était déserte. Les roulements du tonnerre s'étaient éloignés, mais la pluie continuait de tomber dru.

Dans l'arrière-salle de l'auberge *Au Chien-qui-dort*, l'intendant Bigot, le munitionnaire Michel Cadet, l'aide-major Hugues Péan et le capitaine Xavier Maillard disputaient une partie de cartes, entourés d'une quinzaine de courtisans.

L'arrivée de Le Gardeur suscita une curiosité manifeste et même, chez Angélique de Roquebrune, un intérêt plus vif que ne le justifiaient les circonstances. Maillard glissa quelques mots à l'intendant qui, après un coup d'œil au nouveau venu, approuva d'un signe de tête.

Le munitionnaire Cadet abattit ses cartes, provoquant autour de lui un murmure de consternation : il avait encore perdu, et pas rien qu'un peu. Il vida son verre d'un trait et quitta la table, non sans peine car il souffrait d'asthme et d'embonpoint – une combinaison dangereuse.

Le Gardeur s'avança pour saluer Bigot :

— François Le Gardeur, à votre service.

L'intendant finit d'arranger ses gains avec un feint détachement avant de dévisager le jeune homme d'un regard plus attentif qu'attentionné :

— Mes condoléances, monsieur. Le départ de votre père a été prématuré – et votre arrivée, tardive. Le regret et le remords, triste mariage ! Mais remettons cela à plus tard, voulez-vous ? L'heure est au divertissement.

— Puis-je? demanda Le Gardeur en montrant le siège libéré par Cadet.

— À vous de juger si vos moyens s'accommodent mieux d'une place assise que debout, dit froidement Bigot en distribuant les cartes.

Le jeu reprit et, très vite, le vent de la chance tourna en faveur du nouveau joueur. Le pécule de Bigot diminua de moitié et celui de Maillard du tiers. Les spectateurs suivaient la partie avec un intérêt d'autant plus haletant que les enchères montaient en flèche. Péan fut lessivé à l'instant même où il croyait emporter la mise. Il se leva, blême de colère, et fusilla Le Gardeur du regard.

— On se demande d'où vous tenez votre chance, monsieur.

— Je me posais la même question sur votre guigne, monsieur.

Bigot les rappela sèchement à l'ordre en déclarant que nul gentilhomme n'était à l'abri des coups du sort. Il ne croyait pas si bien dire, car il fut vite évident que la ronde suivante allait décider de l'issue de la soirée.

Angélique s'était déplacée dans le cercle pour venir se placer derrière Le Gardeur et jeter un coup d'œil sur son jeu – qui était gagnant. Elle s'éloigna avec un imperceptible sourire, comme si elle se réjouissait secrètement de la défaite imminente de son protecteur.

Maillard déclara forfait, alors que Le Gardeur acceptait de poursuivre d'un geste plein d'assurance. Bigot joua son va-tout et abattit son jeu; il avait une assez bonne main. Le Gardeur déposa ses cartes à son tour et des exclamations de surprise s'élevèrent dans l'assemblée : il avait perdu, avec une main très faible. Angélique le regarda avec autant d'incrédulité que de stupeur, car les cartes qu'il venait d'étaler sur la table étaient entièrement différentes de celles qu'il avait en main quelques instants plus tôt.

Bigot se leva et, après avoir fait signe à un valet de ramasser l'argent, s'inclina devant le jeune homme :

— Nos amis se sont laissé prendre à votre *bluff* – comme on dit chez les Anglais. Quant à moi, j'ai hésité, je l'avoue. Mais vous aviez un air trop franc pour que je vous honore de ma confiance !

Les courtisans accueillirent le mot par de fins sourires et des mines de connaisseurs. Pour sa part, Maillard observait son ami en fronçant les sourcils. Il l'avait pratiqué trop longtemps pour supposer un instant que l'issue surprenante du jeu fût l'effet du hasard. Mais alors, comment expliquer qu'il eût choisi de perdre ?

Hugues Péan fit amende honorable en s'inclinant à son tour devant Le Gardeur, mais ne put résister à l'envie de lui décocher une pointe :

— J'ai bien connu feu votre père. Il savait s'arrêter avant que la chance ne l'abandonne.

— Vous parlez de sa chance au jeu, je présume ?

Dans la grande salle de l'auberge, le tenancier Roberge avait maille à partir avec deux clients malcommodes. L'un, un homme borgne à la mine patibulaire ; l'autre, un paysan déjà fort éméché qu'il tentait de raisonner à voix basse.

— Tiens ta langue, Le Joufflu, si tu veux pas qu'on t'la coupe !

— J'me tairai pas tant qu'y aura ici un chien sale avec sa meute de lèche-culs !

Le borgne lui fit signe de parler moins fort, car les battants de la porte de l'arrière-salle venaient de s'ouvrir pour laisser passer les joueurs et leurs invités.

Alors qu'il traversait la taverne, Bigot fut interpellé par l'ivrogne qui lui brandit un jeu de cartes sous le nez.

— Holà, môssieu l'intendant ! Y'a rien qu'au pauvre monde qu'on interdit de jouer, pas vrai ? Et l'argent que vous gagez, y vient d'où ? Y vient des Anglais ! Pareil comme à Louisbourg quand vous faisiez des combines sous la table avec les marchands de Boston!

Il lui lança les cartes à la tête. Un silence de mort tomba sur la salle.

Maillard et les soldats de la garde personnelle de Bigot se précipitèrent pour se saisir du bonhomme. Plus rapide, Le Gardeur avait pris son élan pour sauter d'une table à l'autre; il atterrit devant Le Joufflu et l'apostropha avec une verve théâtrale:

— De quoi te plains-tu, bonhomme? T'es plein de gros sous, ça te sort de partout! D'ici, par exemple!

Il lui tira de l'oreille une pièce d'argent qu'il lança dans un gobelet vide, puis alla lui en dénicher une seconde dans sa tignasse en broussaille:

— Comme disait mon maître Rabelais, mieux vaut un écu dans l'oreille que de l'oseille dans le cul! Mais que vois-je? T'as pas seulement un verre dans la truffe, l'ami, mais le pourboire avec!

Il saisit le paysan par le nez et le força à se pencher en avant. Une cascade de pièces tombèrent dans le gobelet et sur la table. Dans la taverne, les spectateurs se tenaient les côtes; Bigot lui-même avait du mal à garder son sérieux.

Penaud et abasourdi, Le Joufflu essaya de filer, mais Le Gardeur lui fit un croc-en-jambe et le chargea sur son dos pour le porter vers la sortie, sans se soucier de ses coups de poings et de ses injures. Il le déposa sur le pas de la porte et s'arrangea pour lui dire à l'oreille:

— Déguerpis, imbécile! T'as pas encore compris que je te sauve la vie?

Il l'expédia d'un coup de pied au derrière, déclenchant une salve de rires et d'applaudissements dans la taverne. Se retournant, il se trouva face à Angélique qui le dévisageait d'un œil émoustillé. Il voulut lui adresser la parole, mais Bigot s'interposa et le prit par le bras pour l'entraîner dehors:

— Deux mots entre quat'z'yeux, cher ami!

Ils s'avancèrent sur la Grand'Place. La pluie avait cessé. Dans la demi-obscurité, Le Gardeur devina la silhouette d'un carrosse stationné devant l'église. Bigot baissa la voix pour ne pas être entendu d'Angélique ni de Péan qui les suivaient à courte distance :

— La disparition de votre père nous a été une épreuve cruelle. Disparition qui, soit dit sans cynisme, vous met à l'abri du besoin… sinon des envieux! Outre les privilèges, votre héritage comporte aussi sa part d'obligations.

— À votre égard?

— À celui de la colonie et du mien – du général au particulier! Au cours des ans, nous avons requis les bons offices de votre père pour diverses transactions. La plus importante était en cours de règlement lorsque le destin…

Il compléta sa phrase par une moue de circonstance, puis ajouta :

— Dès que vous serez en contrôle de ses affaires, il faudra conclure celle qui nous occupe en faisant montre de la plus grande diligence. Le temps presse.

— Voulez-vous parler de la guerre, monsieur?

— La guerre se gagne, mon jeune ami, la paix s'achète. Laquelle est la plus onéreuse? Sans compter que la France ne sait plus où donner de la guerre en Europe. Alors les colonies, vous savez…

— Il est une colonie que la France n'abandonnera jamais.

— Dieu vous entende! D'aucuns murmurent qu'au lieu de perdre le Canada, le bon roi Louis s'en servirait comme monnaie d'échange. Tout se négocie, monsieur Le Gardeur, même un pays!

Alors qu'ils approchaient du carrosse, un laquais surgit de l'obscurité et se précipita pour ouvrir la portière.

— Votre ami le capitaine Maillard est enclin à se faire plus catholique que le pape. Il n'a pas à être instruit du détail de notre commerce. Suis-je assez clair?

— On ne pourrait l'être davantage, monsieur.

Avec un gloussement amer, Bigot se hissa dans la voiture et claqua des doigts à l'intention de sa maîtresse :

— Ne serait-il pas piquant de passer à l'Histoire comme la démonstration d'un paradoxe? Une puissance qui aurait perdu la guerre, quand bien même elle aurait gagné toutes ses batailles!

— De quoi parlez-vous, mon ami? dit-elle en le rejoignant.

— De ce qu'il faut taire – et donc d'un propos qui ne peut être confié à une femme.

Le Gardeur aida Angélique à monter dans le carrosse; ce faisant, elle en profita pour lui caresser la main.

De retour chez lui, Le Gardeur entreprit de consulter les papiers et les livres de comptes de son père. Il y travaillait depuis un long moment lorsqu'il fut interrompu par l'apparition de Jean-Baptiste en bonnet de nuit, les yeux clignotants.

— Tu ne regardes pas à la dépense! dit le vieux serviteur en considérant les six chandelles plantées sur la table.

— La lumière a été tenue trop longtemps sous le boisseau dans cette maison. Il est temps d'y voir clair.

— J'entends bien, François, mais la nuit n'est-elle pas faite pour se reposer?

— Ces fermes que mon père a fait saisir... ces familles qu'il a jetées sur la paille... et toutes ces fourberies avec l'intendant Bigot... ça ne l'empêchait pas de dormir?

— Pas que je sache. C'était un homme fort!

— C'était un homme dur. Ce n'est pas pareil. Sa mort a été subite, m'as-tu dit?

— Il est tombé comme ça, d'un coup, foudroyé. Le docteur dit que son cœur a lâché sans crier gare.

Le Gardeur feuilleta un registre en soupirant :

— Son cœur? Il faut donc croire qu'il en avait un.

Il voulut poursuivre sa lecture après le départ de Jean-Baptiste, mais son esprit se mit à vagabonder et, de guerre lasse, il moucha les chandelles. L'obscurité lui fit du bien. Il passa en revue les événements de la journée, et quand il en eut fait le tour, il revint malgré lui à sa rencontre avec la jeune paysanne sur la Grand'Place. Cette Marie-Loup était-elle vraiment capable de voir dans le noir, comme le prétendait sa fille? À tout le moins son regard vous pénétrait et vous mettait sur le qui-vive, il en avait fait l'expérience. «Je perds mon temps, pensa-t-il, vaguement irrité. Cette fille n'est pas pour moi. Et, plus sûrement encore, je ne suis pas pour elle.»

CHAPITRE 4

Le soleil était encore bas à l'horizon quand Le Gardeur mit pied à terre devant la maison d'Angélique de Roquebrune. Un laquais le fit entrer dans un intérieur luxueux où les meubles de prix, les tableaux de maîtres et les bibelots précieux importés d'Europe semblaient narguer la pauvreté de la plupart des habitations de la colonie.

Angélique reçut le visiteur au boudoir dans un déshabillé vaporeux :

— François Le Gardeur ! Je ne vous attendais pas de sitôt.

— Me lever à potron-minet n'est plus dans mes habitudes, madame. Mais votre billet invoquait une affaire urgente...

— N'ai-je pas écrit : « Une affaire qui ne peut attendre » ? C'est différent ! Pour en avoir le cœur net...

Elle tendit la main et Le Gardeur n'eut d'autre choix que de lui remettre le pli qu'un messager lui avait apporté à l'aube. Elle feignit de le lire :

— « Une affaire urgente. » Ma foi, vous avez raison !

Elle glissa le billet compromettant dans son corsage avec un sourire moqueur et lui fit signe de la suivre dans la pièce contiguë – sa chambre à coucher :

— Un sortilège étrange, dit-elle en posant la main sur la courtepointe. Touchez, là, vous allez comprendre !

Il entra dans son jeu, sachant fort bien ce qui allait suivre, mais surpris néanmoins par son aplomb et la brièveté des préliminaires :

— C'est très curieux, en effet.

— Très inquiétant, voulez-vous dire! Nous sommes en été et mon lit est aussi froid qu'en hiver.

Elle se colla contre lui et, d'une brusque poussée, le fit tomber à la renverse sur le lit. Elle l'accompagna dans sa chute et ses mains nerveuses s'activèrent aussitôt à le fouiller sans vergogne – sans doute pour voir s'il cachait dans son vêtement quelque surprise qu'elle pût mettre à profit.

Marie-Loup marchait d'un pas alerte dans une rue de la haute ville, un cabas d'osier au bras. Elle ralentit en apercevant un attroupement de femmes qui protestaient bruyamment à la devanture d'une boulangerie. Sur le pas de la porte, un gros homme rubicond se démenait tant bien que mal pour les empêcher d'entrer. On distinguait dans les cris : «Plus de pain à huit heures du matin? Tu te moques de qui, boulanger?»; «Bigot, bigleux! Vaudreuil, vaurien!»; «Manger de la viande de cheval, jamais!»; «Cens de la Pompadour, sang des habitants!»; «Les Français pourris : à Paris!»; «La potence pour les potentats!»; «*La Friponne* graisse les fripons!».

Marie-Loup bifurqua pour avertir les manifestantes qu'une escouade de miliciens arrivaient dans leur dos au pas de course. Un homme plus rapide que les autres l'attrapa par le bras pour l'en empêcher. Elle se débattit en criant, alertant les femmes qui se précipitèrent à sa rescousse. L'échauffourée fut de courte durée et les malheureuses prirent bientôt la fuite sous une pluie d'injures et de coups de crosse.

Secouée d'humiliation et de colère, Marie-Loup courut jusqu'au bout de la rue, rajustant de son mieux la manche et l'encolure de son chemisier déchirées dans la mêlée. Croisant le capitaine Maillard qui arrivait à cheval, elle lui lança un regard oblique, puis poursuivit son chemin sans le saluer. Elle ne se doutait pas qu'il s'était retourné sur sa monture pour la suivre des yeux jusqu'à son arrivée devant la maison d'Angélique de Roquebrune.

Le Gardeur se réveilla en sursaut et se dressa sur le lit, surpris d'être seul. Il se leva rapidement et sortit de la chambre en chemise, les fesses à l'air. De la fenêtre du boudoir, il vit passer dans la rue un petit groupe de femmes en colère, encadrées par un détachement de miliciens. Des passants richement habillés se retournaient sur leur passage avec des regards réprobateurs.

Il observa la scène en jouant distraitement avec son foulard dénoué lorsqu'il entendit un bruit de voix dans le corridor. Il se glissa prestement derrière un paravent.

Angélique entra la première et s'assura d'un coup d'œil que la porte de la chambre à coucher était bien fermée. Marie-Loup la suivait, échevelée et essoufflée :

— Désolée, madame! J'ai été prise dans l'échauffourée.

— Ma pauvre innocente! Ces vilaines protestations tournent toujours au vinaigre.

— Y'a quoi de vilain à protester contre l'injustice? On a quand même le droit de crier quand on a faim! Les récoltes sont bonnes, n'empêche que les habitants se retrouvent le ventre vide, Gros-Jean comme devant! Ils ont des volailles et du bétail – et ils sont réduits à manger du cheval. Vous qui avez de l'instruction, vous y comprenez quelque chose?

— Avoir de l'instruction, c'est savoir trouver les bonnes raisons pour ne pas comprendre!

— Vous le pensez pour de vrai? Qu'importe, je suis pas venue ici pour faire des discours.

Marie-Loup sortit des pots d'onguent de son cabas :

— Tel que vous me l'avez demandé, madame. Sauf que vous n'en avez pas besoin…

— Merci, mais cela dépend des jours. Il est vrai que j'ai pris ce matin une potion qui m'a fait rajeunir!

Marie-Loup sourit, incertaine d'avoir compris l'allusion, et releva discrètement sa manche déchirée.

— Un instant, je vais t'arranger ça, dit Angélique en ouvrant une armoire. Ah, les brutes!

Marie-Loup s'approcha d'un miroir et, se servant de ses doigts comme peigne, se recoiffa tant bien que mal. Son geste aérien avait une grâce infiniment troublante.

Retenant son souffle, Le Gardeur épiait la scène par un interstice entre les panneaux du paravent. Soudain il se rembrunit en apercevant son foulard sur le parquet, près de la fenêtre.

— Pour toi! dit Angélique en tendant une robe à Marie-Loup.

— Pour moi? Non, non, c'est trop, je peux pas accepter.

— Tu ne voudrais pas me désobliger... Prends-la, je te dis!

Le Gardeur découvrit Marie-Loup à demi nue alors qu'elle retirait son chemisier et enfilait la robe – une vision qui le laissa comme ébloui.

— Tu n'auras même pas besoin de l'ajuster, dit Angélique avec une ombre de ressentiment dans la voix. J'avais jadis une taille aussi fine que la tienne...

— Pourquoi vous êtes si bonne avec moi?

— Parce que je t'aime bien. Et aussi parce que l'intendant m'a chargée de t'inviter au bal du Gouverneur.

— Ah, c'est pour ça, la belle robe!

— Que tu es naïve! Mais non, celle-là est pour tous les jours. Patiente un peu...

Alors qu'Angélique se retournait pour explorer les trésors de sa garde-robe, Marie-Loup gagna la fenêtre pour ramasser le foulard de Le Gardeur. Elle l'examina avec perplexité, cherchant à se rappeler en quelle occasion elle l'avait vu. Puis, d'un geste furtif, vibrant de sensualité, elle le porta à son visage pour le humer.

Angélique la rejoignit en tenant, plaquée contre elle, une superbe robe de bal :

— Je te la donne, mais je garde les souvenirs qui y sont attachés...

Souriant de la confusion de la jeune femme, elle ajouta que son laquais allait lui fournir une housse pour emporter son cadeau. Elles sortirent du boudoir et Le Gardeur en profita pour regagner sans bruit la chambre à coucher.

Angélique l'y rejoignit quelques minutes plus tard, alors qu'il finissait de se rhabiller.

— Il me semble avoir entendu des voix, dit-il d'un air dégagé.

— Une visite imprévue... Une petite paysanne que j'ai prise sous mon aile. Tu l'as vue l'autre jour au marché... Bigot me l'a demandée en cadeau pour le Bal des Moissons.

— Notre intendant est vraiment chanceux d'avoir une maîtresse si compréhensive! Tu lui fais souvent ce genre d'offrande?

— Chaque fois qu'une mignonne lui tourne la tête.

— Encore faudrait-il qu'elle soit intéressée à ses avances. Cette fille ne manque pas de caractère.

— Tant mieux! Il sait comment mater les récalcitrantes. Je pourrais t'en conter des vertes et des pas mûres. Il me fascine... Je ferais n'importe quoi pour lui – le meilleur comme le pire! J'attends depuis sept ans qu'il me demande de l'épouser. Hélas, le temps ne joue pas en ma faveur... Puis-je te demander un service?

— Tout ce qui est en mon pouvoir.

— Fais-moi la cour quand tu me verras en sa compagnie. J'aurai davantage de prix à ses yeux s'il croit que tu me convoites... Tu l'as impressionné hier soir. Et tu l'as mis dans de bonnes dispositions en t'arrangeant pour le laisser gagner!

Il voulut protester, mais elle ne lui en laissa pas le temps en plongeant deux doigts dans la poche de son gilet pour en tirer une carte à jouer qu'elle brandit avec une mimique qui signifiait : «La preuve!»

Débouchant d'un passage voûté – la porte dite de la Brunante – Marie-Loup s'avança sur une petite place ensoleillée pour aller prendre le raidillon qui descendait vers la basse ville. Elle se retourna en entendant le trot d'un cheval et l'expression de son visage passa de la tristesse à une feinte impassibilité.

Le Gardeur s'arrêta à sa hauteur et mit pied à terre :

— Bien le bonjour, Marie Carignan!

Elle le salua d'un signe de tête et poursuivit sa marche. Il lui emboîta le pas en l'observant d'un regard en coin :

— J'ai reconnu votre silhouette de loin... ce qui n'est guère difficile. Et ma bonne fortune me comble! Il faut croire que nos chemins sont destinés à se croiser...

— Le hasard vous est bien complaisant, monsieur!

Surpris par l'hostilité du ton, il la prit par le bras pour l'obliger à s'arrêter et à lui faire face :

— Je ne déteste pas que vous soyez farouche... Mais à ce point!

— Nos chemins ne se croisent pas, monsieur – ils se suivent! C'est Mlle de Roquebrune qui vous envoie?

— Nenni! Personne ne me dicte ma conduite, ne vous en déplaise.

— Vous avez de la chance! Ma fierté me dicte la mienne, monsieur.

Il la dévisagea, préparant une réplique un peu vive, mais choisit finalement de sourire en hochant la tête, comme pour faire amende honorable :

— Si j'avais su que je vous reverrais aujourd'hui, je ne serais pas allé chez la belle Angélique. Mais si je n'y étais pas allé, je ne vous aurais pas vue.

— Là, vous me voyez! Ça change quoi?

— Ça change tout! Vous me donnez le goût de regarder plus loin que l'instant présent...

— Plus loin, je n'y suis pas!

Elle rougit, comme troublée par ses propres paroles. Après un silence, elle ajouta :

— Les gens disent que vous êtes au mieux avec l'intendant Bigot. Alors pourquoi vous lui dites pas d'arrêter de nous saigner et de piller nos fermes?

— Les gens disent n'importe quoi. Par exemple que vous êtes un peu sorcière et que vous pratiquez la médecine des Sauvages…

Elle se détourna sans répondre et, en s'éloignant, sortit de son cabas le foulard qu'elle avait ramassé dans le boudoir et le laissa tomber sur les pavés d'un geste dédaigneux. Il eut un mouvement vers l'avant, mais se retint et se contenta de la suivre des yeux, pensif et décontenancé.

De retour à sa ferme, Marie-Loup passa la fin de la matinée à montrer à France comment manier la navette du métier à tisser rudimentaire installé devant la fenêtre. La fillette s'impatientait de ses maladresses :

— C'est difficile! Comment qu'on fait pour y arriver aussi bien que toi?

— Cent fois sur le métier remets ton ouvrage…

— Cent fois, c'est cinq fois vingt. C'est trop long!

Acoona apparut dans l'encadrement de la porte, tenant contre elle la robe de bal donnée par Angélique. Elle était métamorphosée, tout comme si une fée lui avait donné un coup de baguette magique. Elle avait le sourire fendu jusqu'aux oreilles, ses yeux en amande brillaient d'excitation et le rose de la robe faisait paraître sa peau encore plus cuivrée. Elle lança à Marie-Loup un regard intrigué :

— C'est vrai que tu veux pas aller danser?

— Pour me donner en spectacle devant le beau linge de la colonie? Jamais!

— Faut jamais dire jamais, dit France en se levant. Pis sous leur beau linge, ils sont tout nus comme nous autres!

Elle sortit de la maison en riant, suivie par Marie-Loup qui se retourna sur le seuil pour faire signe à Acoona de les accompagner :

— Mes parents nous attendent pour dîner. Tu peux venir, tu sais! Ça me ferait plaisir.

Acoona restait immobile, le regard baissé. Marie-Loup patienta un instant, puis, laissant la porte ouverte, s'éloigna vers le moulin de Joseph Carignan. France l'attendait et lui prit la main :

— Moi aussi j'y pose des questions qu'elle veut pas répondre...

— Elle est encore farouche. Il faut lui laisser le temps.

— Pourquoi qu'elle est partie de chez elle? Elle était pas heureuse?

— Elle n'a plus de chez-elle. La vieille Matawa dit que ses parents ont été chassés par des colons.

— Les colons, c'est nous?

— C'est pas toi ni moi, mais c'est nous quand même.

— Les Sauvages... c'est vrai qu'y étaient ici avant nous?

— Eh oui! Mais évite d'en parler devant ton grand-père... Il te ferait la leçon!

— Toi, si on te chassait, tu me laisserais pas derrière, dis?

— Et pourquoi je m'embarrasserais d'un gros baluchon comme toi?

Elle éclata de rire et saisit la fillette par les poignets pour la faire tournoyer. Acoona les rejoignit en courant. Elle s'était finalement décidée à les accompagner, mais un reste de méfiance se lisait encore dans ses yeux noirs.

Elles entrèrent dans le moulin – une bâtisse massive en pierres chaulées, érigée au bord d'un torrent qui faisait tourner une grande roue à aubes avec un grondement sourd. La porte de la cuisine ouvrait sur la pièce centrale du moulin qui était presque entièrement occupée par une lourde meule de pierre.

Madeleine Carignan les accueillit avec un sourire contraint. Les tâches ménagères et la dureté de la vie l'avaient usée, au physique comme au moral, et la faisaient paraître plus âgée que ses trente-neuf ans. Elle supportait avec résignation les exigences et les récriminations de son époux, dont le caractère s'assombrissait au fil des ans. Elle prit France dans ses bras en lui murmurant qu'elle était son rayon de soleil, puis se tourna vers sa fille pour l'embrasser à son tour et lui tendre une poignée d'herbes nouées avec un ruban :

— Je t'ai trouvé du millepertuis dans le pré carré, pour tes tisanes…

Marie-Loup prit le bouquet et le huma avec une mine de grande dame à qui on aurait offert une gerbe de roses. France et Acoona firent joyeusement chorus au rire de Madeleine. Alors qu'elles prenaient place à table, Joseph Carignan fit son entrée dans la cuisine et l'ambiance changea aussitôt : la gaieté s'éteignit pour laisser place à un malaise pesant.

Isabelle Toussaint, une jolie métisse de vingt ans à l'expression délurée, assurait le service sans regarder personne. Le meunier ne lui adressait pas la parole : il donnait ses ordres par des signes ou des claquements de langue, tout en lançant des regards excédés au palefrenier Dieudonné qui, debout près du poêle, finissait un bol de soupe avec moult bruits d'aspiration et de déglutition.

Sur un signe de sa grand-mère, France alla prendre une miche de pain dans la huche. Elle s'apprêtait à l'entamer quand son grand-père lui saisit le poignet :

— T'oublies pas quêqu'chose ?

Retenant un soupir, elle remit le pain sur la table et, de la pointe du couteau, fit une grande croix sur la croûte.

— Le pain est une nourriture sacrée, ma petite fille, oublie jamais ça ! dit-il avec sévérité ; puis, inclinant la tête : Bénissez-nous, Seigneur, ainsi que cette nourriture que nous allons prendre grâce à votre bonté.

Il se signa, puis tourna son regard vers Acoona :

— Toi, la sauvagesse, tu te signes pas?

Marie-Loup se raidit :

— Vous allez pas commencer, père! Vous savez bien qu'elle est pas baptisée. Laissez-la donc tranquille.

— Tant qu'ils sont pas baptisés, les Sauvages, ça a pas d'âme. Demande au curé, pour voir. Encore que lui, avec sa négresse, il a pas de quoi se vanter.

— Acoona m'aide bien gros... et en plus, elle tient compagnie à France. En échange, je lui donne le gîte et le couvert.

— Y paraît même que tu la laisses dormir sous ton toit! Tu devrais la mettre dans la grange, comme qu'on fait pour la moricaude.

La servante Isabelle continua de s'activer à son ouvrage en faisant celle qui n'a rien entendu. Carignan se leva soudain de table et sortit en grommelant. Madeleine fit un geste d'apaisement à l'intention de Marie-Loup, mais celle-ci l'ignora et suivit son père dans la partie du moulin affectée aux opérations de minoterie. Elle l'apostropha d'une voix contenue :

— Je vous reconnais plus, père. Vous déblatérez sur tout! Vous haïssez les sauvages, vous haïssez les nègres, des fois j'ai l'impression que vous nous haïssez nous aussi! Vous avez plus de respect pour personne. Le pire, c'est que vous croyez posséder la vérité. Tout le monde est malheureux dans la maison. Si c'est le vide que vous voulez faire autour de vous, vous avez bien réussi!

Le meunier s'était détourné et, les mâchoires serrées, ne lui répondit pas. Elle le quitta en coup de vent et sortit de la maison, les yeux voilés de larmes.

CHAPITRE 5

Alignés devant leur ferme, Le Joufflu, sa femme Cécile et leurs sept enfants (le petit dernier qui n'avait pas trois mois était niché dans les bras de sa sœur Thérèse) regardaient avec découragement les collecteurs du roi emporter une partie de leurs récoltes et de leur élevage – des sacs de blé et d'avoine, un chevreau, des poules, des lapins.

Les miliciens – une demi-douzaine de fiers-à-bras – transportaient les marchandises dans un grand chariot. Trois autres surgirent de l'étable, portant chacun un cochonnet couinant à bras-le-corps. Le Joufflu tenta de s'interposer, mais il fut écarté d'un coup d'épaule. Le sergent Basile Lavigueur, qui supervisait l'opération du haut de son cheval, le pointa du doigt :

— Du calme, bonhomme! À chaque fois c'est la même comédie. Tu crois qu'on te vole! Et l'armée qui vous défend contre les Anglais, comment qu'tu penses qu'on la nourrit?

— Ce que je pense, c'est que t'agites des Anglais par devant pour nous dépouiller par derrière. On les connaît tes manigances, Lavigueur! C'est peut-être pour nourrir l'armée que ma truie a été vendue aux enchères à Saint-Vallier? Mon frère y était, y l'a reconnue!

— Ton frère devrait pourtant savoir que toutes les cochonnes se ressemblent!

— Comme les trous du cul, sergent. Sauf qu'y en a des plus puants que d'autres!

Deux miliciens sortaient à l'instant de la bâtisse en tirant une génisse. C'en était trop! Le Joufflu fonça tête baissée et envoya l'un d'eux rouler à terre.

D'un geste, Lavigueur ordonna à ses hommes de se saisir du malheureux.

Un quart d'heure plus tard, en sortant de chez le notaire, Le Gardeur fit halte sur la Grand'Place pour regarder passer le chariot des miliciens tiré par deux chevaux. Les mains liées, Le Joufflu était assis sur la plate-forme au milieu des volailles et des cochonnets qui s'agitaient en couinant. La génisse marchait derrière, attachée à une corde. Des curieux s'étaient arrêtés pour observer l'attelage avec des regards sombres, mais personne n'osait intervenir. Portant son long tablier de cuir, Colosse sortit de sa forge, le visage couvert de suie et de sueur.

La charrette de Marie-Loup déboucha à l'instant d'une ruelle et s'immobilisa devant l'auberge. France voulut descendre, mais sa mère lui fit signe de ne pas bouger.

Soudain, la cloche de l'église se mit à sonner. Les miliciens s'arrêtèrent, surpris. Les badauds se consultaient du regard. Que se passait-il?

La porte du presbytère s'ouvrit et le curé de Preux sortit sur le perron. Son apparition provoqua une commotion dans la petite foule : on le croyait à l'article de la mort. Il n'y avait plus trace des pustules qui défiguraient son visage quelques jours plus tôt.

La vieille Hortense se signa précipitamment :

— Jésus Marie Joseph! C'est ma foi vrai qu'il est guéri. Un miracle!

— Une manigance de sorcière, tu veux dire! marmonna une autre commère en se signant à son tour.

La voix forte et autoritaire du curé s'éleva sur la Grand'Place :

— N'as-tu pas honte, Basile Lavigueur? Si tu ne veux pas finir en enfer, retourne à ton métier de boucher et cesse de persécuter le pauvre monde!

Il fit signe au forgeron Colosse de l'accompagner vers le chariot. Le sergent les toisa d'un air bravache, mais on le devinait ébranlé par les menaces du prêtre :

— Z'êtes injuste, m'sieur le curé! Vous savez bien que c'est pas moi qui décide. J'obéis aux ordres!

— Tu diras de ma part à l'intendant Bigot que mes paroissiens ont à peine de quoi nourrir leur famille. S'il veut une émeute, qu'il continue à leur ôter le pain de la bouche!

Colosse alla prendre Le Joufflu par le collet et, d'une main, le souleva de la charrette pour le déposer sur le pavé. Compte tenu de la corpulence du bonhomme, ce n'était pas là un mince exploit. Le curé avisa un milicien qui s'approchait pour intervenir :

— Si j'étais à ta place, mon fils, je ne chercherais pas noise à Colosse.

Lavigueur fit signe à l'homme de ne pas insister, puis se tourna vers les habitants :

— Allez, ouste! Rentrez chez vous! Pis les fortes têtes s'retrouveront au cachot, z'êtes avertis!

Les gens se dispersèrent sans hâte, riant sous cape en échangeant des regards entendus. Le forgeron resta sur place, bras croisés et jambes écartées, guettant les miliciens d'un air de défi.

Là-bas, dans la charrette, France tira sa mère par le bras et lui désigna Le Gardeur d'un signe de tête.

— Je l'ai vu! dit Marie-Loup en haussant les épaules. Il s'est bien gardé d'intervenir. Beau parleur, petit faiseur!

Elle donna une secousse aux rênes du cheval et la charrette s'éloigna. France lui lança un regard en coin, surprise par sa remarque.

Le Gardeur s'approcha de Le Joufflu, cependant qu'un long poignard apparaissait entre ses mains comme par magie. Il s'en servit pour trancher les liens du paysan qui baissa les yeux d'un air penaud :

— L'autre soir à l'auberge… j'étais saoul comme une bourrique.

— Je ne te le fais pas dire. Tu l'as échappé belle!

— Justement, je voudrais pas abuser de votre bonté. Sauf que ma ferme, c'est tout ce qui me reste… Accordez-moi un petit délai, vous le regretterez pas.

— Un délai pour quoi?

— Ben… pour vous rembourser, pardi!

Le Gardeur soupira – il venait de comprendre :

— Prends ton temps, l'ami! Et sois généreux à ton tour : épargne-moi tes remerciements.

Abasourdi, Le Joufflu recula en faisant des courbettes, puis fila rejoindre son épouse Cécile qui l'attendait plus loin, la mine inquiète.

Le sergent Lavigueur vint se planter devant Le Gardeur et désigna son poignard d'un air mauvais :

— De quoi qu'on se mêle à c't'heure? Continuez comme ça et je vous ferai voir qu'est-ce que ça coûte de bafouer l'autorité.

— Pourquoi attendre? Montre-moi ça tout de suite, fin finaud!

Lavigueur voulut le saisir au collet mais, avant de comprendre ce qui lui arrivait, il se retrouva à terre. Quelques miliciens se précipitèrent pour lui prêter main-forte, mais firent demi-tour après que les deux premiers eurent goûté à la médecine de Colosse.

Le Gardeur se détourna pour aller chercher sa monture quand un sifflement lancé par Le Joufflu lui fit tourner la tête : Lavigueur s'était relevé et fonçait sur lui, les lèvres retroussées comme un chien prêt à mordre. Il l'évita avec agilité et, après l'avoir ridiculisé en esquivant ses attaques répétées, l'envoya s'étaler de tout son long dans une flaque de boue.

Plus tard dans la journée, en sortant de chez elle pour étendre du linge, Marie-Loup aperçut Le Gardeur qui surgissait du moulin, éconduit par un Joseph Carignan rouge de colère qui lui claqua la porte au nez. Alors qu'il s'éloignait vers son cheval, elle le rattrapa à la hauteur de l'écurie :

— Vous semblez bien pressé de partir, monsieur!

Il émergea de ses pensées et hésita un instant sur le ton de sa réponse :

— La distraction est une piètre excuse, mais le fait est que je ne vous avais pas vue.

— Qu'avez-vous dit à mon père pour l'indigner de la sorte? C'est pas parce que vous êtes le nouveau propriétaire que vous pouvez le traiter comme un rustre...

— Je le sais. Aussi bien lui ai-je parlé comme à un gentilhomme.

— Et c'est pour ça qu'il vous a mis à la porte? Vous n'avez pas été long à choisir votre camp.

— Mon camp n'est pas celui de votre père, en effet. Savez-vous pourquoi les boulangeries de la ville sont vides? Parce qu'il rentre plus de blé au moulin qu'il n'en sort de farine.

— Comment osez-vous!

Il la dévisagea d'un air soucieux. On entendait caqueter derrière eux les poules qui picoraient en liberté dans la cour. Il se décida enfin :

— Votre père est un fournisseur de *La Friponne*, tout comme le mien l'a été de son vivant. Vous l'auriez appris tôt ou tard, alors autant que ce soit par moi. Cela vous nantit d'une raison de plus pour continuer à me fuir.

— En voilà assez! Adieu, monsieur.

Elle recula d'un pas, mais une force obscure l'empêchait de s'en aller. Il lança un coup d'œil aux pourceaux qui pataugeaient en grognant dans leur enclos boueux :

— Ne me demandez pas pourquoi, mais je pense tout soudain à ce bon M. Bigot. Je me suis laissé dire qu'il vous a fait inviter au bal du Gouverneur... De grâce, n'y allez pas!

Elle le toisa, insultée :

— Vous jugez sans doute que je n'y ai pas ma place.

— Vous avez certes une place dans les bonnes grâces de Mlle de Roquebrune. Vous êtes-vous jamais demandé pourquoi?

— Je lui poserai la question de vive voix… quand je la verrai au palais!

Il s'apprêtait à répliquer, mais ce qu'il vit sur son visage frémissant le fit changer d'avis et il murmura comme s'il se parlait à lui-même :

— Tant de beauté… Et tout ce temps perdu!

Elle se mordit les lèvres pour s'empêcher de crier et ferma les yeux. Quand elle les rouvrit, il était déjà loin. Alors qu'elle luttait pour reprendre son souffle et calmer les battements de son cœur, elle sentit soudain une présence à son côté – France était sortie de l'écurie, un panier d'œufs à la main et l'observait avec inquiétude :

— J'ai tout entendu. Tu vas pas être contente, mais c'est vrai ce qu'il a dit.

— Ne le crois pas, il ment comme il respire! s'écria-t-elle, puis, après un silence, elle reprit sur un ton plus bas : C'est quoi qui est vrai?

— En haut du moulin, y a une grande cachette derrière le mur. Je l'ai découverte en jouant au furet avec Acoona. Dedans, c'est plein de sacs de farine qui montent jusqu'au plafond.

— Tais-toi, ça se peut pas! dit-elle en secouant la tête pour nier l'évidence.

Carignan surveillait le fonctionnement des installations de minoterie. Il se retourna en voyant une ombre descendre l'escalier qui menait à la partie supérieure du moulin. Marie-Loup se dressa soudain devant lui, tremblante de colère. Elle dut crier pour couvrir le bruit de la roue à aubes qui entraînait avec force les engrenages puissants de la grande meule :

— Dites-moi que c'est pas vrai! Vous faites partie de la bande à Bigot… Des chiens sales qui affament le peuple!

— Mais qu'est-ce qui te prend? T'as pas honte d'accuser ton père?

— J'aimerais mieux avoir honte de moi que de vous ! C'est pour qui, les réserves que vous cachez là-haut ? Sûrement pas pour le pauvre monde qui crève de faim.

Il y eut entre eux un lourd silence. Ils ne se doutaient pas que Madeleine Carignan les écoutait derrière la porte entrouverte. Son effroi était mitigé par une jouissance sournoise : la voix de sa fille s'était enfin élevée pour dire haut et clair ce qu'elle-même taisait depuis tant d'années.

Incapable de soutenir le regard de sa fille, le meunier baissa la tête, accablé :

— Ça fait des générations qu'on est dans la misère... J'ai tout fait pour qu'on s'en sorte. Je suis pas blanc comme neige, mais ce que je fais c'est pour vous... pour que vous ayez un avenir.

— Un avenir ? Quel avenir ? Tout finit par se savoir ici-bas... Marie-Loup, la fille de Carignan-le-Profiteur ! Comment je vais faire à l'avenir pour vous regarder dans les yeux ?

Il serra les poings et fit un pas en avant – il aurait suffi d'une poussée pour la faire basculer dans les rouages de la meule :

— Veux, veux pas, tu vas te taire, ma mautadite ! Va-t'en avant que le sang me tourne !

Elle tourna les talons et courut vers la porte, les yeux brouillés de larmes. Elle lui cria avant de sortir :

— Priez le bon Dieu que France découvre jamais que son grand-père se conduit comme un filou !

Les préparatifs pour le bal allaient bon train au palais de l'Intendant – une somptueuse résidence trônant sur les hauteurs de Québec. Les jardiniers ratissaient les allées et sarclaient les plates-bandes fleuries, tandis que les artificiers balisaient les pelouses en préparation du feu d'artifice qui devait couronner les festivités.

À l'intérieur, des valets s'activaient à la décoration de la grande salle des fêtes, astiquant les chandeliers et alignant les fauteuils d'or et de pourpre le long des murs.

L'intendant Bigot interrompit un instant sa discussion avec Le Gardeur pour observer un maître de danse qui, poudré de blanc et vêtu de jaune, enseignait à des fillettes amérindiennes à danser le menuet en frappant sur un tambourin :

— Et de une et de deux et de trois, mollet cambré, gliiii-ssez! On re-com-mence : et de une et de deux et de trois, poin-tez, gliiii-ssez!

Les petites sauvagesses s'empêtraient comiquement dans les bouillons et les guipures de leurs robes de demoiselles de la cour. Après les avoir reluquées d'un œil de fin connaisseur, Bigot reprit sans coup férir le fil de la conversation, prouvant qu'il avait de la suite dans les idées :

— … l'argent a été versé par la trésorerie au compte de Louis Le Gardeur, à Montréal. Hélas, son décès a retardé le règlement de notre commission.

— Une commission équivalant à la moitié du montant de la facture, si ma mémoire est bonne…

— Elle est excellente. Je constate avec plaisir que vous avez pris en main les registres de votre père.

— Je les ai consultés avec la plus grande attention. J'ai cru au premier abord que certaines marchandises avaient été facturées deux fois. À la réflexion, j'ai conclu qu'il devait s'agir plutôt d'un regrettable retard dans la livraison et je…

Bigot leva la main pour lui intimer le silence, car le munitionnaire Cadet s'approchait à grandes enjambées; il prit toutefois le temps de glisser à voix basse :

— Ne vous fiez pas aux apparences : ce bouffi est moins bête qu'il en a l'air! C'est la mémoire qui lui fait défaut. Pour notre transaction, par exemple, il se figure que notre quote-part est du tiers. Ce serait manquer de générosité que de lui souligner son erreur…

— Une erreur à quel propos? demanda Le Gardeur, feignant l'incompréhension.

— Nous sommes faits pour nous entendre, monsieur, dit l'intendant avec une moue d'appréciation. Et vous me confirmez à quel point la faculté d'oublier et la pratique des affaires font bon ménage.

Le munitionnaire les avait rejoints et leur annonça l'arrivée de Pierre de Cavagnal de Vaudreuil avec autant de componction que si la nouvelle était un secret d'État.

— À l'heure dite! s'exclama Bigot avec ironie. Le bon marquis est un colonial qui n'a pas encore maîtrisé l'art de se faire attendre. Les mauvaises langues prétendent que je supporte mal d'être assujetti à son autorité. En vérité, je relève de lui comme on relève de maladie!

— Avec votre permission, dit Le Gardeur en s'inclinant. Je crois qu'il est temps de me retirer.

— Vous croyez juste, monsieur. Et vous pratiquez l'effacement avec une discrétion méritoire.

Il observa d'un air moqueur l'effervescence subite des gens qui les entouraient et ajouta :

— Le représentant de Sa Majesté se pointe et ces bonnes âmes frétillent comme des vers. La fascination du menu fretin pour les couronnes ne cessera de me surprendre.

Avec un petit gloussement satisfait, il prit congé du jeune homme et se porta à la rencontre de Vaudreuil qui venait d'entrer dans la salle avec son entourage, cependant que le maître de danse pourchassait les petites danseuses qui, gagnées par l'agitation ambiante, n'avaient rien trouvé de mieux que de s'éparpiller dans toutes les directions comme des souris trotte-menu.

Le curé de Preux et France étaient attablés côte à côte dans la salle à manger du presbytère. Au bout de la table, Mélodie écossait des petits pois en observant les progrès de la fillette avec une pointe de tristesse et d'envie.

— *f*, très bien. Maintenant *g*, avec la petite boucle… c'est ça!

La langue entre les dents, France traçait chaque lettre avec application.

— La suivante, c'est *h*, dit-elle en trempant sa plume dans le petit encrier. Je les connais toutes jusqu'au bout maintenant. J'aimerais mieux écrire des vrais mots.

— Si tu veux! Tiens, tu vas écrire le plus beau mot de la langue française. Vas-y, commence ici : *a… m… o…*

— Pas si vite!

— *o*, c'est bien… *u… r…*

France écrivit la dernière lettre, puis déchiffra le mot en le suivant du doigt :

— Amo… amo-u, amour!

— Tu le montreras à Mar… à ta maman. Je suis sûr qu'elle sera fière de toi.

— Elle dit que l'amour, y'a rien de plus important. Sauf que si y'en a trop, ça peut faire mal.

— Elle a dit ça?

— Ça se peut pas qu'y en ait trop. Moi j'en ai tout plein… et j'ai pas mal nulle part!

Du revers des doigts, le curé effleura la joue de la fillette :

— Ma toute petite! Des fois, on aimerait que le temps s'arrête…

Il tressaillit en entendant frapper à la fenêtre. Le visage chafouin de la vieille Hortense se profilait derrière les carreaux, vilainement déformé par les défauts de la vitre. Il se leva pour ouvrir la croisée et échanger quelques mots avec la commère. Puis il dit à France :

— Continue tes exercices. Je reviens dans un moment.

Il sortit du presbytère, traversa le petit jardin potager et entra dans l'église par la porte latérale. Bien qu'il en eût été averti, il se renfrogna en découvrant la présence de deux soldats devant l'entrée principale. Plus près de lui, dans la demi-obscurité, une silhouette agenouillée sur un prie-Dieu se levait. Surpris et impressionné, il s'inclina en reconnaissant le visiteur :

— Monsieur de Vaudreuil... Je veux dire, monsieur le Gouverneur !

— Le nom suffit. Il n'est pas de titre qui vaille dans la maison de Celui qui n'a porté qu'une couronne d'épines.

Le curé hésitait sur la conduite à prendre :

— Je ne voudrais pas interrompre votre méditation.

— Je ne méditais pas, je priais. Mon attelage passant devant l'église, j'ai eu subitement l'envie d'entrer. Une visite qui n'est pas désintéressée, j'en ai peur.

— Puis-je vous être utile ?

Vaudreuil tourna les yeux vers le grand crucifix qui surmontait l'autel :

— Lui seul peut nous venir en aide à présent. La Nouvelle-France est en danger, mon père... un danger grave et imminent.

— Vous êtes en mesure de la défendre, monsieur. Les habitants ont confiance en vous.

— Sans doute parce que je suis Canadien de naissance, comme eux. C'est là ma force et ma faiblesse. Qu'une épreuve majeure se dessine, on s'interrogera à Paris sur mon allégeance et ma loyauté.

— Puis-je me permettre de vous parler sans détour ? Je crains surtout qu'on ne vous fasse porter le blâme des agissements de certains de vos subordonnés.

— Je m'en doute, hélas ! À cause des manigances de M. Bigot, on n'arrive plus à nourrir nos troupes ! Savez-vous le remède qu'il m'a proposé ? D'intensifier les combats pour diminuer le nombre de ventres creux.

— Par charité, j'aimerais ne pas vous croire... Il y a quelques mois, vous m'avez demandé si je connaissais quelqu'un de vaillant et de fiable.

— Il me souvient de vous avoir pris de court.

— En effet. Depuis lors, toutefois, j'ai eu l'occasion de rencontrer un jeune homme qui pourrait sans doute honorer vos attentes.

Vaudreuil lui lança un regard perçant :

— Vraiment? Êtes-vous prêt à le recommander?

Le curé hocha la tête.

Le Gardeur était occupé à trier des documents dans le bureau de son père. Il vit par la fenêtre le soleil se coucher, puis le ciel passer de l'ocre au vermillon, et bientôt du violet au noir. Il resta un moment dans la pénombre, évoquant avec nostalgie sa vie de trappeur et voyant défiler devant ses yeux les images de ses randonnées sur des terres sauvages où les horizons se succédaient à l'infini.

Il se décida enfin à allumer des bougies et à reprendre son ouvrage, bientôt interrompu par le retour de Jean-Baptiste qui était allé rendre visite à un de ses frères hospitalisé chez les augustines.

— François? Es-tu seul?

— Oui, abstraction faite des fantômes. Entre donc! Tu parais surpris…

Le vieux serviteur l'informa qu'il avait reçu plus tôt la visite de cet ami dont il lui avait parlé l'autre jour. Comment s'appelait-il déjà?

— Owashak. Qu'a-t-il dit?

— Qu'il allait revenir avant la nuit. Il aura été retardé…

— Il n'est pas le genre d'homme à se laisser retarder. N'a-t-il rien dit d'autre?

— Non. À ta place, je ne m'inquiéterais pas. Il était flanqué d'un chien qui m'a paru aussi malcommode que lui.

Le Gardeur poussa un soupir et lui souhaita le bonsoir. Au lieu de se retirer, Jean-Baptiste avança d'un pas, les yeux posés sur les papiers étalés sur la table :

— Que manigances-tu, François?

— Rien qui doive t'alarmer.

— En es-tu sûr? Je te connais depuis ton premier cri – et déjà tu étais un rebelle dans l'âme. Hélas, tu n'as pas connu ta mère. Moi, si! Une femme hors du commun... Elle aurait été fière de toi.

Le Gardeur ne répondit pas, pris au dépourvu par cette déclaration inattendue. Jean-Baptiste se détourna pour décrocher une gravure au-dessus d'une commode, révélant une petite niche creusée dans le mur. Il en sortit une bourse en cuir rebondie et la lui remit pour qu'il en déliât lui-même les cordons. Elle contenait une pleine poignée de louis d'or.

— Est-ce mon père qui t'a demandé de ...

— Nenni. Il ne s'est même jamais douté que je connaissais la cachette.

— Et pourquoi avoir attendu ce soir pour me la révéler?

— Un pressentiment... La crainte que tu n'aies besoin d'aide avant longtemps.

Le Gardeur fronça les sourcils et tira un pli de sa poche :

— Une estafette est venue me porter ce billet en fin de journée.

Jean-Baptiste prit connaissance du message et un voile de stupéfaction glissa sur son visage ridé :

— Pour quelle raison veut-il te rencontrer? Et pourquoi «en toute discrétion»?

— Je n'en ai pas la moindre idée...

Le lendemain matin, au sortir de la maison familiale, Le Gardeur aperçut le chien Miskou qui rôdait alentour en grondant sourdement. Il tenta de l'approcher, mais à chaque fois la bête prenait la fuite et allait l'attendre plus loin avant de recommencer son manège. Il inspecta les environs dans l'espoir d'y découvrir une trace d'Owashak. De guerre lasse, il éperonna son cheval et partit au galop en direction de la haute ville.

Il se présenta au château Saint-Louis et fut conduit par un majordome solennel dans un salon particulier. Il n'y resta pas seul longtemps. Le marquis de Vaudreuil fit son entrée et l'examina de pied en cap avec un imperceptible sourire :

— François Le Gardeur, à la bonne heure! Nul doute que mon invitation vous ait surprise...

— Surpris et honoré, monsieur.

— Vous la devez à la recommandation d'un ami commun. Le curé de Preux, pour ne pas le nommer. Il ne tarit pas d'éloges à votre sujet.

— Une preuve de sa générosité, sinon de son jugement.

— Je tiens que votre modestie est imméritée, mais elle n'en est pas moins appréciable. Vous comptez à Paris des amis de grande influence. Par exemple François Quesnay, l'illustre médecin du roi.

— Je... En effet, nous nous sommes connus à la Sorbonne. Un homme remarquable, qui a eu la bonté de m'accorder sa protection.

Vaudreuil sortit une enveloppe d'un portefeuille en maroquin :

— Vous lui avez envoyé ce pli... que nous avons intercepté.

Le Gardeur se raidit, soudain sur ses gardes :

— Une lettre personnelle, monsieur.

— Et à ce titre, fort instructive quant aux sentiments que vous inspire l'intendant Bigot. Dommage que vous n'ayez encore rencontré le marquis de Montcalm. Il vous aurait fourni la matière de tout un livre : «De l'incompétence récompensée ou l'Art de perdre la guerre.»

— Vous tenez là un langage qui me trouble. Et qui n'est pas monnaie courante dans les hautes sphères du pouvoir. Qu'attendez-vous de moi, monsieur?

— Que vous partiez à Paris pour y porter votre témoignage.

— À Paris?! Moi?

— Vous y avez complété vos études, n'est-il pas vrai? Et qui mieux est, en sciences politiques. Je vous offre de pratiquer votre savoir à Versailles, auprès de Mme de Pompadour. Vous n'ignorez pas qu'elle est l'inspiratrice de la politique étrangère de la France. Elle peut notamment décider de l'envoi des vivres et des renforts que le ministre Berryer ne cesse de promettre et de retarder, sous prétexte que les guerres européennes ont préséance dans le pillage des coffres de l'État. Savez-vous ce que le cher homme a répondu à notre dernière requête? «Quand le feu est à la maison, on ne se soucie pas des écuries!»

— Votre confiance me flatte et m'interpelle, monsieur. Mais comment pourrais-je réussir là où vous-même avez échoué?

— Un émissaire est plus éloquent que des lettres et des comptes rendus qui s'égarent. Croyez-moi, il est grand temps que les Canadiens de souche prennent leur destin en main... À propos, puis-je vous conseiller de commencer votre mission par une visite à Genève?

— Genève?

— Tout à côté : Ferney. Je vous obtiendrai d'y être reçu par un homme qui fait en France la pluie et le beau temps au firmament des idées.

— Voltaire?!

Vaudreuil hocha la tête et Le Gardeur secoua la sienne :

— Mais... c'est un adversaire acharné de la cause du Canada!

— Un adversaire, pas un ennemi! Il vous écoutera avec plus d'intelligence que ceux qui pensent comme vous. Et c'est un protégé de la Pompadour, ce qui ne gâte rien.

En sortant de chez le gouverneur, Le Gardeur trouva Miskou accroupi près de son cheval. La bête paraissait l'attendre – pourtant elle prit à nouveau la fuite à son approche. Il l'observa avec attention et, soudain, laissa échapper une exclamation de dépit. Où avait-il la tête? Comment n'avait-il pas compris plus tôt que le chien ne le fuyait pas, mais cherchait au contraire à l'attirer quelque part en lui montrant le chemin?

En contrebas du palais de l'Intendant et des maisons cossues de la haute ville de Québec, le quartier du port étalait sa misère : des ruelles jonchées d'immondices, des taudis lépreux, des arrière-cours nauséabondes où rôdaient des enfants en guenilles. L'entrepôt du Grand Comptoir (l'entreprise que les habitants avaient surnommée *La Friponne*) s'élevait à l'écart, au bord des quais. C'était un bâtiment fortifié, placé jour et nuit sous la garde de la milice.

En approchant, Le Gardeur reconnut le carrosse de Bigot devant l'entrée et se félicita d'avoir suivi son intuition. Il descendit de sa monture et continua à pied, longeant un muret pour ne pas être vu. Miskou fut moins discret et fila comme une flèche pour aller tourner autour des soldats en grondant férocement, les crocs à découvert. Chassé à coups de pierre, il revenait à la charge avec une rage décuplée. Un coup de feu faillit l'atteindre et, prenant ses distances, il alla se poster sur un tertre voisin afin de surveiller la place.

Le Gardeur profita de la diversion pour se faufiler lestement entre les madriers, les rouleaux de cordage et les barils empilés sur le quai. Passant à l'arrière de la construction, il crocheta en un tournemain le verrou d'une porte dérobée avant de disparaître à l'intérieur.

Il s'aventura silencieusement dans la pénombre d'un vaste entrepôt abritant une profusion de victuailles et de marchandises hétéroclites : des sacs de blé et d'avoine, des jarres d'huile, des tonnelets de vin et des cageots de légumes qui voisinaient avec des caisses d'armes et de munitions. Guidé par un bruit de voix et de coups assourdis, il louvoya entre les obstacles et se hissa prudemment sur deux coffres pour évaluer la situation.

Owashak était attaché torse nu à un poteau de soutènement, le visage tuméfié et la lèvre supérieure fendue jusqu'à la narine. Son tortionnaire était un homme râblé à la tignasse abondante, d'un roux flamboyant, qui répondait au nom raffiné de Gronchon. L'aide-major Hugues Péan, l'un des piliers du Grand Comptoir, assistait à l'interrogatoire, la mine grimaçante. Non loin, des braises rougeoyaient dans un petit brasero.

L'intendant Bigot et le munitionnaire Cadet émergèrent des profondeurs de l'entrepôt, où ils étaient venus inspecter une récente livraison de matériel de guerre et concocter une falsification d'inventaire. Ils se dirigeaient vers la sortie d'un pas pressé, mais ne purent résister au désir de faire un crochet en voyant Gronchon en plein travail. Le passage à tabac d'un Sauvage n'était pas un spectacle à dédaigner.

— Et alors? demanda Bigot en jetant un regard froid à Péan.

— Alors il refuse de livrer l'autre moitié du lot avant d'avoir été payé. Maudite bête puante!

Cadet eut un petit ricanement :

— Payé pour la première moitié ou pour la seconde?

Piqué au vif, Péan répondit avec colère qu'il ne faisait pas crédit à la vermine. Il ajouta pour noyer le poisson :

— Tout ça pour des peaux de castors! S'il avait une once de bon sens, il dirait où elles sont pour sauver la sienne. Sauf que c'est un dur à cuire!

— Allons, messieurs, nous perdons notre temps, dit Bigot avec impatience. Allons déjeuner et laissons M. Gronchon à ses fourneaux. Si le Sauvage est dur à cuire, peut-être sera-t-il plus facile à griller…

Péan et Cadet accueillirent le mot d'esprit avec un gloussement d'esthètes. Le prisonnier les fit changer de mine en les apostrophant soudain d'une voix railleuse :

— Les fossoyeurs de la Nouvelle-France creusent leur propre tombe. Que le diable les patafiole, et Bigot le premier!

— Ma foi, dit l'intendant avec un haut-le-corps, c'est là un français bien châtié dans la bouche d'un Sauvage.

Owashak lui lança un regard méprisant :

— Un cadeau de vos missionnaires... avec la variole, le typhus, le choléra et la peste.

Irrité, Bigot tourna les talons et fit signe à ses comparses de le suivre. Empressé et obséquieux, Gronchon les accompagna jusqu'à la porte, attrapant au vol une bourse qui lui fut jetée comme un os à un chien.

Le Gardeur mit leur éloignement à profit pour se déplacer derrière une pile de sacs de farine, tout en cherchant une façon de secourir Owashak sans donner au tortionnaire le temps d'appeler à la rescousse les miliciens de garde. Levant les yeux, il distingua dans la pénombre une corde passée dans une poulie pour servir au déplacement des marchandises. Sans perdre un instant, il passa le filin au collet de deux gros sacs, puis, s'agrippant des pieds et des mains, monta au sommet de l'amoncellement.

Gronchon revint sur ses pas et regarda sa victime avec un rictus féroce :

— Tu m'as fait perdre la face... Tu vas m'le payer !

Il se tourna vers le brasero pour prendre un tisonnier à la pointe incandescente. Au même instant, un filet de liquide doré tomba du plafond sur les charbons ardents et, avec un grésillement, se transforma aussitôt en vapeur blanche. Il leva la tête, abasourdi.

Là-haut, Le Gardeur avait refermé sa braguette et, la corde enroulée autour du bras, se laissait tomber dans le vide. Sa chute fut ralentie par le contrepoids des sacs. Il atterrit à quelques pas de Gronchon et le nargua en agitant les doigts d'un geste efféminé :

— Approche, mon mignon, n'aie pas peur !

Sur ses gardes, la brute brandit le tisonnier et fit deux pas en avant.

— Arrête, je me rends ! s'écria-t-il en levant les bras (et en lâchant la corde).

Gronchon redressa la tête en entendant le roulement de la poulie, mais trop tard pour reculer.

Il s'effondra comme une masse, assommé sans goût de revenez-y par quelque deux cents livres de farine.

Le Gardeur sortit son poignard et trancha les liens du prisonnier. Alors qu'il se penchait pour lui libérer les chevilles, l'autre lui prit le poignard des mains et murmura :

— Je m'en charge. Pars devant, je te rejoins !

Après avoir failli se perdre plusieurs fois dans l'amas des marchandises, il atteignit le fond de l'entrepôt et la porte dérobée par laquelle il était entré. «Mais que fait Owashak? se demanda-t-il, inquiet. J'aurais mieux fait de l'attendre.» Il se préparait à revenir sur ses pas lorsque la haute silhouette de l'ami se dressa devant lui, la main tendue.

En reprenant possession de son poignard, Le Gardeur vit que la lame était couverte de sang.

CHAPITRE 6

Le général de brigade James Murray traversa d'un pas décidé le vaste hall du ministère de l'Amirauté, à Londres. Il entra dans une grande bibliothèque richement décorée où devisaient une trentaine de personnages haut placés de l'aristocratie et de l'armée. Saluant des connaissances au passage, il rejoignit le premier ministre William Pitt qui s'entretenait devant une majestueuse cheminée avec un petit homme replet, curieusement vêtu d'une demi-redingote qui, assurément, ne sortait pas de l'atelier d'un tailleur londonien.

L'honorable Pitt présenta James Murray à son invité, puis fit la réciproque :

— M. Benjamin Franklin, de Philadelphie. L'illustre représentant de nos colonies américaines et, qui plus est, le père de cette remarquable invention…

Il exhiba des lunettes à double foyer en expliquant avec admiration qu'elles permettaient de voir de près et de loin. N'était-ce pas ingénieux ?

Franklin reprit possession de ses lunettes et, après les avoir chaussées, toisa Murray d'un regard ironique :

— Je faisais justement valoir au premier ministre que, de près comme de loin, ce que je vois m'inquiète grandement.

William Pitt expliqua que son invité s'était personnellement porté à la rescousse des fermiers de la Pennsylvanie et que ce noble geste avait failli lui coûter sa fortune après la victoire des Français au fort Duquesne. Pour éviter la répétition d'une telle mésaventure, il était venu à Londres pour militer en faveur de l'annexion du Canada dans le giron britannique.

— Ne sommes-nous pas déjà en guerre pour ce même projet? fit observer Murray.

— Précisément, général! Ce que votre armée a commencé en Acadie voici quatre ans, il faut à présent le terminer pour l'ensemble du territoire. Et nous débarrasser à jamais des Canadiens et des Sauvages.

— En les déportant?

— En exigeant leur allégeance à la couronne d'Angleterre. La déportation est une mesure odieuse qui, vous en conviendrez, ne fait que changer le mal de place.

— Je ne vous le fais pas dire! s'écria William Pitt. Aussi nous efforçons-nous de répéter à Sa Majesté que la guerre en Europe sera gagnée en Amérique... un paradoxe qui n'est pas toujours apprécié à sa juste valeur. Vous serez satisfait d'apprendre que le général Murray participera à notre prochaine expédition en Nouvelle-France – avec ce qu'il faut d'hommes et de canons pour obtenir la capitulation du gouverneur Vaudreuil.

— On dit que Québec est une forteresse inexpugnable, dit Franklin. Il me tarde de vous voir faire la démonstration du contraire.

Murray leva le doigt pour requérir une clarification :

— Vous avez déclaré que votre inquiétude portait également sur ce que vous voyez *de près...* Puis-je savoir?

Avec une imperceptible pointe d'impatience, William Pitt répondit à la place de son invité :

— Notre ami a entendu dire à Londres que certains de nos politiciens préféreraient que le Canada restât sous le contrôle de la France... de façon à éviter que nos colonies là-bas ne prennent trop d'ampleur – une ampleur qui encouragerait des velléités d'indépendance.

— La grenouille qui veut se faire plus grosse que le bœuf, cita Murray en français.

Piqué par la remarque, Franklin répliqua avec ironie :

— Il est une façon plus efficace de limiter la croissance de la population, par exemple un décret royal qui ordonnerait aux sages-femmes d'éliminer un enfant sur deux à la naissance…

Pitt lui posa la main sur l'épaule :

— Ne nous fâchons pas, monsieur. Que les colons américains croissent et se multiplient en paix ! Personne ne songe à mettre en doute leur loyauté à la mère patrie.

Le général Murray baissa la tête comme s'il approuvait cette opinion, alors qu'il craignait de fait que son expression ne trahît sa certitude que le premier ministre ne pensait pas un mot de ce qu'il disait.

Tout en poursuivant la conversation, le trio se rendit à la salle des cartes, contiguë à la bibliothèque, où ils rencontrèrent un homme de visage délicat et de constitution fragile, debout devant une grosse mappemonde enchâssée dans un trépied d'acajou ; il la poussait de la main d'un air absent pour la faire tourner à grande vitesse. Il avait trente-deux ans mais n'en paraissait guère plus de vingt-cinq, ce qui ne fit qu'accroître l'étonnement de Franklin quand on le lui présenta comme étant le major-général Wolfe, commandant en chef de l'armée d'invasion du Canada.

William Pitt commenta à l'intention de Wolfe :

— J'expliquais justement à ces messieurs que, pour se fortifier, l'empire de Sa Majesté doit s'étendre non seulement à l'Inde, mais à tout l'Extrême-Orient… Une conquête qui ne peut se faire qu'en passant par l'Amérique du Nord, pour des raisons que les écrits de notre visiteur défendent avec une remarquable éloquence.

— Avant longtemps, l'Amérique sera le siège mondial du commerce et de la finance, déclara

Franklin. Cela n'est pas une prédiction : c'est une certitude.

James Murray renchérit :

— Tout comme il est certain que nous ne pourrons y défendre nos intérêts que si nous négocions l'annexion du Canada et des Antilles.

Wolfe sortit de son mutisme et frappa du pied, en proie à une colère subite qui prit tout le monde par surprise :

— Comment ça, négocier? Une annexion ne se négocie pas, elle se gagne!

Il tira son épée pour pointer une carte affichée au mur :

— La Nouvelle-France s'étend d'ici jusqu'à la Louisiane. Une folie, une aberration! Il se tourna vers Franklin : Vous occupez le littoral et contrôlez la mer, mais avant longtemps vous manquerez d'espace. C'est tout de suite qu'il vous faut conquérir ces terres à l'intérieur du continent et en chasser les Français...

William Pitt se fit rassurant :

— Une conquête assurée, général : notre armée est trois fois plus forte que la leur – et la population de nos colonies, vingt fois plus nombreuse que celle des Canadiens.

— Sauf votre respect, monsieur, il n'y a pas de conquête assurée : il n'y a que des victoires acquises. Notre premier objectif est ici : Québec. Le second est là : Montréal.

L'agitation de Wolfe ne fit que croître, comme si la vue de ces deux points sur la carte lui était une insulte personnelle. Sa nature maladive se révélait de façon alarmante, alors qu'il se promenait de long en large en faisant des moulinets avec son épée :

— On m'avait promis douze mille hommes, s'écria-t-il. Aux dernières nouvelles, on n'en compte que huit mille. Qu'importe, je fonce! Je contrôle le Saint-Laurent et j'intercepte les navires de ravitaillement de la racaille. C'est fait, plus un ne passe!

Le premier ministre tenta de le rappeler à l'ordre :

— Calmez-vous, général ! Et de grâce, ne faites pas l'erreur de sous-estimer la résistance des Français...

Wolfe poursuivit comme s'il n'avait pas entendu :

— Québec doit tomber avant que le fleuve ne prenne en glace. Si la ville ne se rend pas, je l'incendie en la bombardant vingt-quatre heures par jour. Je détruis les récoltes en aval comme en amont, je rase les fermes, j'abats le bétail et je laisse derrière moi une traînée de famine et de désolation.

Il brandit son épée et, avec une violence incontrôlée, transperça la mappemonde de part en part. Soudain, il porta la main à sa poitrine :

— Veuillez m'excuser... besoin de...

Il s'éloigna d'un pas mal assuré pour aller ouvrir à pleine grandeur une des hautes fenêtres de la salle et respirer goulûment l'air du dehors.

Mal à l'aise et décontenancés, ses trois interlocuteurs restèrent un moment silencieux. William Pitt rompit la tension en se penchant vers Franklin pour lui dire avec une grimace drolatique :

— Je me targue de pouvoir lire dans vos pensées, mon cher ami.

— Vraiment ? Le pluriel est flatteur. D'autant qu'elles me sont à moi-même bien confuses.

— Vous vous demandez si je n'ai pas placé le destin du pays entre les pattes d'un chien enragé.

— Le terme est trop fort, monsieur le premier ministre.

— Mais pas fortuit ! Quand je pense aux défaites militaires que nous avons essuyées récemment, je me dis qu'il pourrait être salutaire de laisser notre ami Wolfe planter ses crocs dans l'arrière-train de certains de nos généraux.

— Salutaire pour qui ? murmura James Murray en examinant ses ongles manucurés.

CHAPITRE 7

La chaleur du jour se prolongeait paresseusement dans la nuit tombée et une pleine lune frissonnait dans le grand bassin du parc. Dans la salle des fêtes, le bal du Gouverneur battait son plein. Un orchestre jouait un menuet de Rameau, des couples évoluaient sur le parquet luisant sous l'œil critique du maître de danse et les petites sauvagesses en robes à paniers, assises sur des chaises trop hautes, attendaient l'arrivée de Vaudreuil pour donner leur spectacle ; leurs regards brillants de convoitise louchaient vers un maître pâtissier qui mettait la dernière touche à une superbe pièce montée – un gâteau meringué couvert de volutes de crème chantilly, de baies sauvages et de fruits confits.

Le chanoine Briand promena un regard satisfait sur l'assemblée, puis se pencha vers le révérend Augustin-Louis de Glapion :

— N'en déplaise à M. Voltaire, je tiens que la France ne pourrait pas vivre heureuse sans Québec. La colonie vaut bien les os de quelques grenadiers français...

— ... et le sacrifice de nombre de nos frères missionnaires, renchérit le procureur des jésuites. Dès les débuts de la pacification, l'Église a été et demeure un fer de lance dans la lutte contre le paganisme. Les Sauvages ont une âme, quoi qu'on en dise. À nous de leur apporter la lumière !

Plus loin dans la salle, Xavier Maillard faisait signe à un valet en livrée de remplir sa coupe. Il la leva à la santé de Le Gardeur :

— Eh bien, l'ami? Tu m'accorderas que l'intendant fait bien les choses.

— Certes, mais avec quel argent? T'es-tu jamais posé la question?

— Holà! Le moment est mal choisi pour jouer les pisse-vinaigre.

Il vida son verre d'un seul coup.

— Tu as changé, Xavier. Autrefois, tu buvais pour voir la vie en rose. Aujourd'hui, c'est pour te fermer les yeux.

— Mes yeux sont grand ouverts, monsieur le moraliste. La preuve!

Le Gardeur se retourna pour suivre le regard du capitaine. Marie-Loup faisait son entrée dans la salle des fêtes, seule, éblouissante de beauté et de fraîcheur. Elle avait retouché la robe de bal donnée par Angélique en remplaçant les fausses fleurs par des vraies. Elle esquissa un mouvement de recul devant les regards qui s'étaient tournés vers elle, mais Angélique se précipita pour venir lui prendre la main et l'entraîner dans son sillage.

Au passage, Marie-Loup aperçut François et lui lança un regard de défi. Il lui fit un léger sourire et se retourna vers Maillard qui s'efforçait, sans grand succès, de masquer l'émoi que lui avait causé l'apparition inattendue de la jeune femme.

— J'observe que ton dédain pour la paysannerie a ses exceptions!

— Tout comme ton mépris de l'aristocratie. Je me suis laissé dire que tu es au mieux avec le marquis de Vaudreuil.

— Tu es bien informé, mais peut-être pourrais-tu l'être davantage. J'ai confiance en toi, Xavier, tu le sais. Allons dans un endroit plus tranquille. Il faut que je te parle.

Au même instant, les vitres d'une des hautes fenêtres de la salle volèrent en éclats et une forme trapue atterrit sur le parquet, renversant dans son élan un laquais avec son plein plateau de carafes et de coupes. Le Gardeur tressaillit en reconnaissant le chien redoutable d'Owashak.

Le monstre était déchaîné, bondissant de droite et de gauche en aboyant, la gueule écumante. Il y eut un début de panique, alors que les invités reculaient précipitamment et que les petites sauvagesses sautaient au bas de leur chaise pour s'éparpiller en piaillant. Charles de Bourlamaque, un officier au faciès arrogant, s'approcha de l'animal en dégainant son épée. Soudain, une voix claire et ferme s'éleva dans la salle, dominant le tumulte :

— La bête, là-bas! Approche! Ici, au pied!

Marie-Loup s'avançait avec détermination, la tête droite, sans quitter des yeux le chien qui s'était immobilisé et se ramassait sur lui-même, prêt à lui sauter à la gorge. Il changea soudain d'avis et fit deux pas vers elle. Elle lui ordonna de se coucher – il obéit en grognant. Un silence médusé s'était fait dans la grande salle. Tous les regards étaient tournés vers la belle inconnue. Qui était-elle? D'où venait-elle?

Elle se pencha vers l'animal et, après un instant de réflexion, détacha sans brusquerie le carnier en peau qui lui pendait au cou. Elle avait deviné juste car, aussitôt débarrassé de son colis, il se redressa et, filant comme une flèche, sortit par la fenêtre brisée en un bond spectaculaire pour disparaître dans la nuit.

Bourlamaque rengaina son épée et se pencha vers Xavier Maillard :

— Un coup monté pour épater la galerie… Ou alors cette fille a des pouvoirs qui sortent de l'ordinaire.

— On la dit quelque peu sorcière dans la région. Mais soyez sans crainte : je l'ai à l'œil!

— Vous n'êtes pas le seul, capitaine. On chuchote que notre intendant se la serait réservée pour une messe noire…

Bigot avait pour l'heure d'autres chats à fouetter. Bien qu'il affichât un air détaché, l'incident l'avait mis de fort méchante humeur. Il ordonna aux musiciens de recommencer à jouer, puis, claquant des doigts, fit signe à un laquais de lui apporter le fameux carnier. Il l'ouvrit et en sortit un scalp sanguinolent. Des exclamations horrifiées s'élevèrent alentour et Cadet se retira précipitamment, le visage décomposé.

L'intendant remit vivement la tignasse rousse de Gronchon dans le sac, puis s'essuya les doigts à un mouchoir de baptiste. Ensuite, flanqué d'Hugues Péan, il s'éloigna vers le fond de la salle en invitant au passage Bourlamaque à l'accompagner. Il lança un regard distant à Marie-Loup en passant à sa hauteur, comme s'il la voyait pour la première fois.

Angélique rejoignit la jeune femme et lui prit les mains :

— Quelle aventure ! J'étais morte de peur ! Comment as-tu fait ? Je confierais volontiers à ton dressage certaines bêtes féroces de ma connaissance… Eh bien, pourquoi cette moue ?

— Je croyais que M. Bigot vous avait chargée de m'inviter. Alors pourquoi m'ignore-t-il ?

— Pour ne pas favoriser des bruits qui nuiraient à ta réputation. Tu t'offusques sans raison, je t'assure : il t'a reconnue, et la robe aussi ! Il n'aura pas de peine à vous séparer l'une de l'autre !

Marie-Loup la dévisagea, interloquée. Angélique joignit les mains avec ravissement :

— Oh oui, le beau regard effarouché ! C'est parfait ! Il t'a vue l'autre jour avec ta fille… Je lui ai fait croire qu'elle était ta sœur.

— Mais… pourquoi ?

— Pour que tu puisses jouer les ingénues ! Rien ne l'excite davantage que la conquête d'un territoire. C'est la colonisation qui l'ennuie…

— Pour jouer, il faut être deux. Ne misez pas sur moi !

— En voilà des manières! J'ai parié sur ta gratitude, tu ne vas quand même pas me faire faux bond! L'intendant exerce son droit de cuissage comme bon lui semble. Au lieu de faire la mijaurée, tu devrais être honorée d'avoir été choisie.

Tout en parlant, Angélique saluait avec aisance et coquetterie les invités qui passaient à proximité. Elle réserva un sourire particulièrement suave à un prélat qui allait rejoindre la coterie du chanoine Briand.

— Vous avez une mine florissante, mon révérend! dit-elle et, après qu'il fut passé, elle ajouta à voix basse à l'intention de Marie-Loup : La fréquentation des petits garçons lui fouette les humeurs et le sang.

— Pourquoi me racontez-vous ces horreurs? Et comment ai-je pu être assez naïve pour croire en votre amitié? Adieu, madame!

Elle se détourna pour partir, mais l'autre la retint fermement par le bras et, du regard, attira son attention sur deux valets costauds postés à la sortie qui ne les quittaient pas des yeux :

— Ne fais pas la sotte! Tu n'iras pas loin… et tu te couvrirais de ridicule. Je ne veux que ton bien… après celui de Bigot, s'entend! Allons, je le connais, il expédiera l'affaire avec diligence. À toi d'en tirer profit. Car il est capable de tout, même de générosité!

— Qu'il garde sa générosité pour d'autres! Je ne me laisserai pas faire…

— Tant mieux! Il aime qu'on lui résiste. Un conseil toutefois : ne te sers pas de tes dents ni de tes ongles, si tu tiens à les garder. Il sait être cruel, aussi!

Le Gardeur et Xavier Maillard sortirent sur un petit balcon en encorbellement attenant à la salle des fêtes. Le capitaine ne cachait pas son impatience :

— Tu m'ennuies à la fin! On est ici pour s'amuser, sacrebleu!

— Je n'ai pas le cœur à la fête. J'ai découvert des documents compromettants dans les affaires de mon père.

— Compromettants pour qui?

— Pour Bigot et sa clique. Des preuves irréfutables d'un complot à grande échelle… De quoi les envoyer tous à la Bastille, et pour longtemps!

— Tais-toi! Tu risques ta tête à colporter de telles infamies.

— Si ma parole ne te suffit pas, viens à la maison. Tu jugeras par toi-même. À moins que le capitaine ne sache plus lire…

Maillard réfléchit et, brusquement, changea d'attitude :

— Pardonne-moi, François. Je ne mets pas ta parole en doute, tu penses bien! Tes révélations me prennent de court, voilà tout. Pourquoi n'en parlerais-tu pas à Vaudreuil, maintenant que tu as tes entrées chez lui?

Le Gardeur hésita un instant. Pouvait-il vraiment se fier à Maillard? Le regard direct de son ami le rassura :

— C'est déjà fait! Remarque que le gouverneur n'a plus d'illusions sur Bigot depuis belle lurette. Il est d'ailleurs question que je parte à Paris pour une mission confidentielle… Ceci reste entre nous, est-il besoin de le dire?

— Tu peux compter sur ma loyauté. Quant au marquis de Vaudreuil, comment pourrais-je oublier qu'il a autorité sur l'intendant?

Le Gardeur prit Maillard dans ses bras et l'étreignit fraternellement.

En apercevant Angélique qui s'approchait et l'interrogeait du regard, Bigot s'éloigna de ses courtisans et la prit à l'écart pour lui donner ses instructions :

— Conduis cette mignonne où tu sais! Et qu'elle soit prête à mon arrivée. Je ne suis pas d'humeur à m'enjuponner.

— Je ferai de mon mieux. Mais prenez garde : je crains qu'elle ne soit rétive.

— Aussi bien, fais-la attacher. Je la prendrai en trique-trac.

— Ciel! Elle ne connaît pas sa chance…

Il accueillit le compliment avec une moue vaniteuse :

— Je vais instruire Cadet de faire partir les feux d'artifice. Une touche de romantisme n'a jamais nui aux âmes délicates!

Marie-Loup était restée près du buffet, les poings serrés et les joues en feu. Elle se sentait prise au piège et tressaillit en voyant approcher François. Elle le regarda en face, s'efforçant de ne pas laisser paraître sa frayeur :

— Je vous dois des excuses, monsieur.

— Remettez-les à plus tard, voulez-vous?

Il se pencha pour lui dire quelques mots à l'oreille et, ce faisant, remarqua que le superbe gâteau avait été entamé. Il lui sembla entendre quelque part sous la table des chuchotements et des rires étouffés.

Angélique avait laissé Bigot à ses civilités et traversait la salle en diagonale pour rejoindre Marie-Loup. Les invités qui dansaient avec force courbettes et révérences la contraignirent de s'arrêter à plus d'une reprise. En arrivant devant le buffet, elle trouva Le Gardeur qui, le dos tourné, examinait la pièce montée avec une feinte admiration. Elle lui frappa sur l'épaule du bout de son éventail :

— La fille Carignan… Où est-elle passée?

Il lui fit face et montra les nombreux couples qui évoluaient sur le parquet :

— Au bras d'un galant! La vois-tu, là-bas? Un menuet n'est pas un rigaudon, mais elle s'en tire plutôt bien pour une paysanne.

— Où ça, là-bas?

Il la poussa gentiment dans les bras de Xavier Maillard qui passait à proximité :

— Laissez mon ami vous prouver qu'un capitaine à cheval peut aussi être le meilleur des cavaliers!

Angélique entra dans la danse de bonne grâce, croyant à tort qu'un tour de piste la conduirait à Marie-Loup. Elle aurait été fort surprise d'apprendre qu'à l'instant même sa protégée avançait à quatre pattes sous la longue table du buffet, cachée par la nappe qui retombait jusqu'au sol.

La fugitive rencontra à l'extrémité du tunnel trois petites sauvagesses qui s'étaient réfugiées là pour s'empiffrer de gâteau. Elle posa le doigt sur ses lèvres pour leur recommander le silence et, toujours accroupie, sortit à l'arrière de la table pour se faufiler prestement dans un corridor de service.

Le Gardeur avançait d'un pas rapide dans la pénombre d'une longue galerie et, entendant des voix qui approchaient, il se glissa derrière une lourde tenture. Par l'entrebâillement des rideaux, il vit passer les deux valets costauds qui, plus tôt, gardaient l'entrée de la salle des fêtes.

Soudain, il tressaillit. Émergeant de l'encoignure d'une fenêtre, le visage défait, Marie-Loup apparut comme un spectre dans la clarté blafarde de la lune. Elle s'approcha de lui, les lèvres tremblantes, et voulut le gifler. Il lui saisit le poignet au vol et demanda à voix murmurée :

— C'est cela, vos excuses? Elles auraient pu attendre !

— Je n'ai jamais été aussi humiliée. Oui, j'aurais dû vous écouter, je le sais !

— Votre seule faute est de n'avoir pas cru en mon amitié…

— Votre amitié en échange de quoi? Vous faites partie de ces gens-là, tout ça pour vous n'est qu'un jeu.

— Le pensez-vous vraiment?

Elle essaya de soutenir son regard, puis laissa échapper un soupir :

— Non, mais ça m'arrange de le croire. Vous vous dites sûrement que j'ai pas de quoi être fière. C'est vrai que je suis pas grand-chose, monsieur. Mais ce que je suis, c'est tout ce que j'ai !

Il la prit par les épaules et tenta de l'embrasser, mais elle détourna le visage et il se contenta de poser les lèvres sur sa joue. Elle ferma les yeux en frissonnant, puis se ressaisit et l'affronta avec un regard de défi :

— Vous êtes le plus fort... Vous pouvez me forcer, ça m'est bien égal !

Il la lâcha et recula d'un pas :

— Et si c'est vous qui m'embrassez en premier, ça vous est aussi égal ?

— Non ! Ça change tout ! murmura-t-elle avant d'ajouter, farouche et essoufflée : Vous me ferez souffrir tôt ou tard... Autant commencer tout de suite !

Elle tendit son visage vers le sien.

À cet instant, deux violentes explosions firent trembler les vitres. François se tourna vers la fenêtre, sur le qui-vive. Presque aussitôt, la première fusée du feu d'artifice éclata dans le ciel, suivie d'une deuxième, puis d'une troisième. Il se retourna vers Marie-Loup et se figea sous l'effet de la surprise : il était seul.

Sur la grande terrasse du palais, entouré de ses invités, Bigot assistait au feu d'artifice au côté du marquis de Vaudreuil qui, contre son habitude, avait pratiqué ce soir-là l'art de se faire attendre, sinon celui de se faire désirer. Angélique s'approcha discrètement et fit signe à l'intendant de la rejoindre à l'écart. Il lui coupa la parole dès ses premiers mots :

— Comment cela, disparue ? Je comptais sur vous. Une faute de calcul, à l'évidence ! Qu'importe, je trouverai facilement une mignonne de rechange pour la nuit, fine de taille et d'esprit... Il la regarda de bas en haut avant de terminer : ... et qui me consolera de l'ordinaire.

Angélique s'efforça de faire bonne figure pour donner le change aux courtisans qui les observaient de loin, mais son sourire n'était plus qu'une grimace crispée et, tournant les talons, elle s'éloigna vers l'extrémité déserte de la terrasse – sans se rendre compte que le capitaine Maillard profitait que l'intendant fût seul un instant pour venir lui parler à son tour.

L'expression de Bigot se durcit à mesure que les révélations de l'autre gagnaient en gravité :

— La coupe est pleine! dit-il d'une voix glaciale. Allez là-bas sur-le-champ et saisissez les affaires de son père... les factures, les registres, la correspondance, tout!

— Et lui, faut-il l'arrêter? Je l'ai perdu de vue tout à l'heure, mais il ne doit pas être loin.

— Les papiers d'abord! Je ne veux pas d'esclandre ici, d'autant que le gouverneur m'a l'air de s'intéresser à notre conciliabule davantage qu'au spectacle des feux... Quant à votre soi-disant ami, mettez-lui la main au collet quand il rentrera chez lui. Vous le garderez au secret aussi longtemps que Vaudreuil sera dans la région. Et prenez note que je procéderai personnellement à l'interrogatoire.

Un rictus cruel apparut sur ses lèvres minces. Maillard le salua et s'éloigna à la hâte.

Marie-Loup sortit discrètement sur le côté de la terrasse et se glissa derrière une rangée d'arbustes décoratifs pour gagner l'escalier qui descendait vers les jardins. Elle se trouva subitement en face de Mlle de Roquebrune qui s'arrêta net en la voyant et la dévisagea avec une expression indéchiffrable, avant de poursuivre son chemin comme si de rien n'était. Pourtant, en passant à sa hauteur, elle lui murmura : «Il ne te mérite pas!»

Craignant qu'elle ne se ravise, Marie-Loup descendit rapidement l'escalier et, pour éviter les soldats de garde près des grilles, s'engagea vers le bas-côté du jardin. Le Gardeur l'aperçut alors qu'il tournait le coin du bâtiment et se lança aussitôt à sa poursuite. Il la gagna de vitesse et tenta de l'arrêter, mais elle bifurqua et poursuivit sa course sur les pelouses, sans se soucier des flammèches qui couraient le long des cordons de mise à feu. Il la talonna, levant les bras pour se protéger des pièces pyrotechniques qui décollaient autour d'eux avec des sifflements assourdissants. Au passage, elle déplaça à son insu une fusée de gros calibre qui n'était pas encore amorcée et qui se retrouva inclinée à l'oblique.

Il réussit enfin à l'attraper par le bras, alors que des gerbes scintillantes embrasaient le ciel avec un bruit de canonnade. Ils se firent face, essoufflés, baignant dans une pluie d'étincelles. Il y eut soudain une accalmie dans les feux.

— Marie-Loup, arrêtez! C'est trop dangereux!

— Comme si je le savais pas! Mais c'est pas ce danger-là qui me fait peur. Et c'est pas vous non plus!

— Pourtant je vous fais fuir…

— C'est moi que je fuis! Parce que je me connais: quand j'oublie de me gouverner, je commence à croire à l'impossible.

— Quand on est deux à y croire, l'impossible devient un projet.

— Vous, vous pensez à cette nuit… et moi je pense à demain. La vérité, c'est que je n'ai pas de place dans votre monde.

— Alors faites-moi une place dans le vôtre.

— C'est ça, moquez-vous à présent!

Les feux repartirent de plus belle. Elle se détourna et reprit sa course. Il s'élança à sa suite. Un sifflement qui approchait à grande vitesse lui fit tourner la tête. La fusée qui avait été déplacée venait d'être mise à feu et fonçait sur eux. Il bondit, poussa Marie-Loup aux épaules et l'accompagna dans sa chute. La fusée les frôla en crachant des flammes et alla exploser au fond du jardin.

Ils restèrent étendus sur la pelouse en bordure d'un bosquet, reprenant leur souffle, troublés d'être si proches l'un de l'autre et de sentir que l'instant de vérité ne pouvait plus être repoussé. C'était maintenant ou jamais – et ils laissèrent le silence se prolonger entre eux pour goûter l'émotion de savoir que leur choix était déjà fait : c'était maintenant, c'était tout de suite. Qui allait parler en premier ?

— Depuis l'autre jour, j'ai tout fait pour cesser de penser à vous. Je ne demande qu'à aimer... Mais me donner à moitié, ça je ne peux pas !

— Et vous le dites à un homme qui veut *tout* vous donner ! Moi aussi j'ai pensé à vous, sans répit ! Quand j'ai les yeux fermés, je vous vois. Quand je les ouvre, je vous cherche. Je fais comment pour gagner votre confiance ?

Le ciel s'embrasa dans le bouquet final des feux. À demi-caché derrière le bosquet, le palais de l'Intendant resplendit dans toute son opulence, puis s'effaça dans la nuit. Le vacarme des explosions se répercuta au loin avant de laisser place au chant des grillons, aux coassements des crapauds et à deux respirations haletantes...

— Quand je vous parle dans ma tête, murmura Marie-Loup, je ne vous dis pas «vous».

Elle ferma les yeux et ajouta dans un souffle :

— Prends-moi !

Bigot et sa cohorte d'invités étaient rentrés dans la salle des fêtes et Angélique resta seule dans la pénombre, assise sur un muret au bout de la terrasse. Défaite et humiliée, elle ne put retenir plus longtemps les larmes qui saccagèrent son maquillage et lui donnèrent d'un coup dix ans de plus. Elle regarda les étoiles dans le ciel, mais leur contemplation ne lui apporta aucun réconfort – elle n'était pas douée pour l'infiniment grand.

Au même moment, la maison familiale des Le Gardeur était mise à sac. Sous les ordres du capitaine Maillard, une dizaine de miliciens s'emparaient des documents et des registres du petit bureau et les transportaient à la hâte dans un chariot stationné devant le perron. En passant dans le vestibule d'entrée, ils étaient contraints d'enjamber le corps inerte et ensanglanté de Jean-Baptiste.

Maillard avait trouvé dans un tiroir une poignée de pièces d'or et, profitant de ce que ses hommes eussent le dos tourné, il les empocha sans vergogne – et fit main basse du même coup sur une tabatière en argent ciselé. Après avoir obéi à la lettre aux ordres de Bigot, n'était-il pas légitime qu'il succombât à l'esprit qui les avait inspirés?

Dans la cour du moulin, François aida Marie-Loup à descendre de la monture qu'elle avait chevauchée, assise devant lui en amazone, la tête contre sa poitrine. Il mit pied à terre à son tour et lui fit face. Elle posa le bout de ses doigts sur sa bouche :

— Non, tais-toi! Ce que tu vas dire me fera mal, je le sais! Par exemple que tu vas partir…

Il hocha la tête. Elle pâlit et ses lèvres se mirent à trembler :

— Quand?

— Le plus tôt possible.

Il se détourna pour ouvrir la sacoche attachée à la selle du cheval et en sortit la poupée que lui avait offerte la petite Lakmé après qu'il l'eut sauvée de la noyade.

— Pour France…

— Mais je… Tu as pensé à elle?!

Elle serrait le cadeau contre sa poitrine, décontenancée, et ferma les yeux pour mieux sonder son cœur.

Derrière une fenêtre, invisibles dans la pénombre, France et Acoona étaient agenouillées sur le lit de Marie-Loup et observaient la scène qui se jouait en bas, dans la clarté de la lune.

— C'est quoi qu'y a donné? demanda la fillette à voix basse.

— Je sais pas… Quelque chose pour toi, on dirait.

— Pourquoi pour moi? C'est elle qui l'intéresse. Tu crois qu'y vont s'embrasser?

— Y seraient bien bêtes de pas essayer.

— Peut-être, mais elle se laissera pas faire. Je la connais!

Comme s'il approuvait cette déclaration, le cheval poussa un long hennissement et se dirigea seul vers l'abreuvoir.

Marie-Loup releva la tête et affronta le regard attentif de François. Elle lui rendit la poupée.

— Non, c'est mieux pas! La petite se ferait des idées… à propos de nous deux.

— À propos de nous trois. Elle part avec nous.

— Partir? Comment ça, partir? Tu veux dire que…

— Je viendrai vous chercher sitôt après avoir informé le gouverneur de notre départ. Le temps presse…

— Pour aller où?

— En France. Je t'expliquerai demain quand j'en saurai plus.

Elle se ressaisit et se montra farouche à nouveau :

— Tu ne m'as pas demandé mon avis.

— Tu n'as pas compris... Marie Carignan, acceptes-tu d'être aimée à jamais et désirée pour toujours?

Elle le saisit par les revers de sa veste et se colla contre lui pour l'embrasser à pleine bouche. Il l'emprisonna dans ses bras – une étreinte passionnée.

Derrière les vitres de la chambre où se reflétait la lune comme en un miroir, France tendait le cou pour ne rien manquer de ce baiser qui n'en finissait pas. Elle murmura, soucieuse et intriguée :

— Comment qu'y font pour respirer?

Le Gardeur se dirigeait au trot vers la Grande-Allée. Il chantonnait doucement, le cœur empli d'un bonheur comme il n'en avait jamais connu.

Une forme spectrale surgit d'un cabriolet stationné dans l'ombre, le long du mur du cimetière. Elle s'avança dans la blancheur lunaire et lui barra la route en écartant les bras. C'était Angélique.

— Ne va pas plus loin, François! Les hommes de Bigot ont fouillé ta maison et y ont laissé des gardes. C'est un guet-apens!

— Comment ont-ils osé? Les scélérats! Et Jean-Baptiste?

— Ton serviteur? Il s'est démené comme un brave pour les empêcher d'entrer. Une folie! Ils l'ont abattu.

Il sauta au bas de sa monture et resta un instant hébété. Puis il murmura d'une voix rauque :

— Un homme loyal dans un monde de fourbes... Ils vont le payer!

Il fit un pas en direction de la maison, mais elle l'agrippa par le bras avec force :

— C'est toi qui vas payer, imbécile! Tu n'es pas de taille contre eux. Ils ont tout emporté... les registres de ton père, les actes notariés, tout! Tu n'as plus rien – et tu n'es plus personne. Tu es un homme mort!

Il fit un effort pour reprendre ses sens. Rencontrant le regard d'Angélique, il y aperçut une fièvre et une détresse qui le firent soudain réviser l'opinion qu'il avait d'elle.

— Pourquoi as-tu pris le risque de m'avertir?

— Peut-être pour me rappeler ce que je ressens, quand je me sens propre... Pars à présent, quitte la ville! Bigot sait que tu veux aller porter l'affaire à Paris. Tu n'as pas de temps à perdre... Que Dieu te garde, François!

Elle fit demi-tour et s'éloigna en courant. Elle disparut dans l'obscurité – cette obscurité qui trop longtemps avait été son refuge et sa perte.

Le soleil se levait sur la ville de Québec, effilochant les écharpes de brume qui traînaient encore dans la campagne avoisinante et le long des rives du Saint-Laurent. Le Gardeur avait emprunté un chemin détourné pour se rendre à la résidence du gouverneur Vaudreuil. Après s'être engagé sous le passage voûté de la Brunante, il déboucha sur la petite place du Prieuré où il tomba sur le sergent Lavigueur qui était occupé à rajuster le harnachement de son cheval, pendant que les trois miliciens qui l'accompagnaient jouaient aux cartes.

Le Gardeur tourna bride illico et repartit au galop. Au risque de se casser le cou, il dévala un raidillon, traversa de biais la Grand'Place et enfila la rue commerçante qui descendait au port. En le voyant arriver, les époux Le Joufflu et le forgeron Colosse se tassèrent dans l'entrée d'un marchand de vin. Quelques instants plus tard, ils virent apparaître Lavigueur et sa suite au sommet de la côte ; à leur approche, Colosse fit basculer un petit tonneau à la devanture de l'échoppe et le poussa du pied sur les pavés.

Le milicien en tête du peloton ne put éviter l'obstacle et fut entraîné avec son cheval dans une chute spectaculaire. Lavigueur arriva une seconde plus tard, le pistolet à la main. Il tira un coup de feu alors même qu'il sautait par-dessus le cavalier et sa monture.

Le Joufflu s'effondra, une balle en plein front.

Lavigueur poursuivit sur sa lancée, cependant que les cris horrifiés de la femme de l'infortuné paysan se répercutaient dans la rue d'une maison à l'autre.

Talonné de près par ses poursuivants, Le Gardeur coupa à flanc de colline en soulevant un nuage de poussière. Les yeux levés, des habitants de la basse ville observaient la course effrénée, parmi eux Robert Mainguy, l'homme borgne qui était attablé l'autre soir à l'auberge en compagnie de Le Joufflu. Il se détourna et s'éloigna en courant.

Arrivé au bas de la pente, Le Gardeur s'engagea dans une venelle étroite. Immédiatement après son passage, une vieille carriole dévala d'un tertre en brinquebalant et se plaça en travers du chemin. Arrivant en trombe, le sergent Lavigueur ne put s'arrêter et, après un vol plané par-dessus l'encolure de son cheval, il alla se fracasser le crâne contre les barreaux de la carriole.

CHAPITRE 8

En ce début d'été 1759, une formidable armada de plus de cent cinquante navires anglais voguait sur le Saint-Laurent en direction de Québec.

Peu après que le vaisseau amiral eut dépassé l'île aux Coudres, le major-général James Wolfe rencontra dans le carré des officiers son quartier-maître, le colonel Guy Carleton, le général James Murray et, sur l'insistance de ce dernier, le capitaine Hector Cramahé – un gentilhomme d'une quarantaine d'années qui, bien que né en Angleterre, était de souche française et huguenote.

Wolfe leur désigna une carte murale de la Nouvelle-France, où de petits drapeaux et des figurines signalaient l'emplacement et l'importance des troupes françaises et britanniques :

— La disproportion des forces est accablante, déclara-t-il avec un mince sourire. Accablante pour nous, s'entend – ce qui rendra notre victoire d'autant plus méritoire.

— Le siège de Québec prendra du temps, fit observer James Murray. Or malheureusement le temps joue en faveur du général Montcalm.

— Nous l'aurons à l'usure, dit Carleton.

— En le tisonnant sur tous les fronts, reprit sèchement Wolfe, nous le forcerons à sortir de sa tanière et à livrer bataille à terrain découvert. La stratégie du bon marquis est transparente : il veut tenir Québec jusqu'à l'hiver et nous attaquer quand notre flotte sera prise dans les glaces. La ville doit donc tomber avant l'automne. Et avant longtemps, le gouverneur Vaudreuil n'aura d'autre choix que de proclamer la capitulation générale de la colonie. À moins bien sûr qu'il ne préfère son extermination. En tel cas, je me ferais un devoir de le satisfaire…

Jusqu'alors en retrait, Hector Cramahé s'avança sous le regard quelque peu inquiet de Murray qui savait d'expérience que son ami et mentor avait la fâcheuse habitude d'exprimer à haute voix ce que ses interlocuteurs n'avaient pas le goût d'entendre :

— Gagner la guerre est affaire de stratégie et de ressources, mon général, cependant que gagner la paix est affaire de principes et de diplomatie.

Wolfe le toisa de haut et répliqua sèchement :

— Aussi bien la paix n'est-elle pas l'affaire des militaires, capitaine.

— Puis-je me permettre de diverger d'opinion ? Je tiens que l'armée est au service de la cause nationale et que la victoire finale de l'Angleterre ne sera pas celle des armes, mais celle de l'esprit. Les élites françaises ne font que passer sur ce continent pour y gagner des galons et faire fortune, alors que nous y sommes pour prendre racine. Elles se battent pour des possessions. Nous défendons une terre.

— Permettez ! dit Murray en montrant sur la carte les rives du Saint-Laurent en aval de Québec. Les paysans qui habitent ces fermes défendent leur sol, eux aussi.

— Je ne parlais pas des habitants, mais de ceux qui les écrasent. En vérité, les Canadiens de souche sont la seule et vraie richesse de la colonie. C'est pourquoi il faut les gagner, non les perdre. Et, surtout, ne pas répéter la faute du gouverneur Lawrence quant à la déportation des Acadiens.

— Une faute ? dit Wolfe, outré. Mesurez vos paroles, Cramahé ! Charles Lawrence n'a fait que déplacer des rebelles qui refusaient de prêter le serment d'allégeance au roi.

— Il avait toutefois toléré leur résistance passive pendant des années. Ces pauvres gens ont-ils saisi que l'exigence était devenue un ultimatum? Ils étaient sous l'influence des jésuites... Dois-je en dire davantage?

Wolfe balaya le propos d'un revers de main et déclara froidement que les propriétés en bordure du fleuve seraient incendiées pour assurer le passage sans escarmouches de la flotte britannique. Il ajouta à l'intention de Cramahé, sarcastique :

— Et comme nous avons des principes, nous en ferons sortir les habitants avant que d'y bouter le feu!

James Murray s'empressa de dire, sans doute pour empêcher le capitaine de réagir :

— Vous présumez donc que les Canadiens prendront en majorité le parti de l'armée française. Personnellement, je n'en suis pas si sûr.

— Je ne demande qu'à être convaincu du contraire. Mais si la population refuse la neutralité que je lui propose, je prendrai les moyens qu'il faut pour l'amener à la raison.

— Vous ne faites pas assez confiance aux Français : ils ont un talent incomparable pour s'aliéner les habitants de leurs colonies!

Wolfe daigna sourire, puis fit demi-tour et se dirigea vers la porte. Cette façon abrupte de mettre un terme à une réunion lui était coutumière. Murray, Carleton et Cramahé échangèrent derrière lui des regards entendus.

— Je vous entends penser dans mon dos, messieurs! dit-il avant de sortir.

Le silence lourd qui suivit son départ fut finalement rompu par le quartier-maître qui dit à voix basse, en soupirant :

— S'il entendait mes pensées, il me ferait fusiller sur place!

— Comment s'y est-il pris pour se faire nommer major-général? dit Murray. Il n'a ni la santé ni l'expérience ni le jugement.

— Vous manquez de charité, dit Cramahé. Convenons plutôt qu'il a tout ce qu'il faut pour être modeste.

CHAPITRE 9

Le lendemain du départ du gouverneur Vaudreuil pour Montréal, le général Montcalm, l'intendant Bigot, le commandant Charles de Bourlamaque, le capitaine Maillard et trois autres militaires de haut rang (dont le lieutenant Jean-Baptiste de Ramezay) se retrouvèrent dans la salle de l'état-major, en cercle autour d'une carte de la région de Québec déroulée sur une grande table. Des figurines de couleur indiquaient l'emplacement des corps d'armée et des dispositifs de défense.

Bigot profita d'une pause dans la discussion pour glisser quelques mots à Maillard en aparté :

— Alors ? Du nouveau ?

— Cela ne saurait tarder. Le bougre nous a filé entre les doigts après avoir tué un de mes hommes et en avoir grièvement blessé un autre.

— Ajoutez la mention de ces crimes sur l'avis de recherche. Je le veux mort ou vif ! Est-ce assez clair ?

L'intendant se retourna et rejoignit le cercle des hauts responsables de la protection des territoires de la colonie. Louis-Joseph de Montcalm, un Méridional de courte taille, prétentieux et maniéré, le toisa d'un regard courroucé :

— On me dit que vous êtes à court de canons… Comment est-ce possible ? Au vu du dernier inventaire, votre arsenal nous était apparu pleinement équipé.

— Les pièces d'artillerie que nous avons commandées n'ont pas encore été livrées. Le munitionnaire

Cadet les a consignées prématurément dans ses registres – une faute qui sera dûment sanctionnée. J'ai d'ailleurs ordonné la tenue d'une enquête sur les circonstances de cet imbroglio.

— Une enquête? Je me contenterais volontiers d'un post-mortem. Nous n'avons plus le loisir de couper les cheveux en quatre, monsieur l'intendant. Nos espions nous rapportent que les Anglais intensifient leurs préparatifs... Une attaque d'envergure est à prévoir dans les prochaines semaines. Nous devons conjuguer nos efforts pour la repousser. À moins qu'un ou deux bataillons ne manquent au décompte de vos effectifs...

— Général! Vous poussez un peu loin!

— Je pousse pour ne pas reculer, monsieur! Vous seriez bien avisé de réviser la comptabilité de vos munitions – et je ne parle pas de celles que vous déchargez sur vos petites danseuses...

Pendant que la milice s'affairait à le chercher à Québec, Le Gardeur se trouvait dans le village d'Odanak et planifiait son départ pour la France. Assis contre un rocher au bord de la rivière Kijé Manito où il avait failli se noyer, il terminait une lettre à l'intention de Marie-Loup : «... "car le feu qui me brûle est celui qui m'éclaire." Rien n'est changé, ma mie, ni de mes projets pour nous, ni de mes sentiments pour toi. Allons vivre ensemble sous des cieux plus cléments. Viens me rejoindre avec France après-demain sur l'heure de midi à l'Anse-aux-Foulons, au pied de la tour de guet. Sois prudente et ne parle de ce projet à personne. (Il souligna le mot "personne".) Je t'aime, Marie-Loup. Moi dans toi, je ne sais plus où tu commences et où je finis... J'entends ta voix dans tout ce qui vit et frissonne autour de moi. Tu me parles dans le souffle du vent, dans la rumeur du torrent, le crépitement du feu, le chant des oiseaux...»

Il interrompit sa calligraphie et leva les yeux : la petite Lakmé était devant lui, immobile et souriante.

— Je ne t'ai pas entendue approcher, dit-il. Tu es là depuis longtemps?

— Depuis toujours.

— Certes! L'autre fois, tu m'as donné ta poupée en disant qu'une petite fille m'attendait... Tu avais raison.

Une ombre passa sur le visage de Lakmé qui s'éloigna à pas lents, sans rien ajouter.

Troublé, il reprit sa plume et, après un temps de réflexion, ajouta quelques derniers mots à sa lettre.

Au même moment, dans la ferme de Marie-Loup, France quitta brusquement son métier à tisser et courut chercher sa poupée dans le petit berceau qu'elle avait fabriqué de ses mains avec quelques morceaux de planches. Elle la serra contre elle en fronçant les sourcils, cherchant à comprendre le pourquoi de sa soudaine inquiétude.

— Il l'a apportée rien que pour moi. Maman savait même pas son nom... Je l'ai appelée Cassandre.

— Cassandre? Drôle de nom... dit Acoona qui était occupée à filer à la quenouille.

Une haute silhouette passa rapidement dans le cadre de la fenêtre, à l'insu des deux filles.

— Dimanche, à la messe, maman chantait tout faux. Mélodie dit que c'est un signe qui trompe pas.

— Un signe de quoi?

— Qu'elle est amoureuse, pardi! Elle pense rien qu'à lui tout le temps. Pourquoi tu crois qu'elle est allée à l'église? C'est pour demander au bon Dieu de le protéger.

Acoona se leva subitement, l'oreille aux aguets. Elle fit signe à France de ne pas bouger et sortit en prenant au passage une longue bûche près du poêle.

Le chien Miskou l'attendait dehors et fila vers les communs, s'arrêtant à mi-course pour la regarder et pousser un petit aboiement. Il l'invitait à le suivre et elle le rejoignit, toujours sur ses gardes. Elle s'immobilisa à l'entrée de l'écurie, affermissant sa prise sur son gourdin. Owashak émergea sans bruit de la pénombre et lui fit un signe de paix. Il lui parla dans sa langue :

— Salut! La femme blanche n'est pas là?

— Non. Tu lui veux quoi?

Il lui tendit le pli que lui avait confié Le Gardeur :

— Pour elle et personne d'autre. Donne-lui dès son retour, c'est urgent.

Elle prit la lettre et le regarda avec attention, les yeux brillants :

— Je m'appelle Acoona. Et toi?

— Owashak. Mon compère François m'a parlé de toi.

— Tu reviendras? J'appartiens à personne…

Owashak la dévisagea et sourit à pleines dents :

— Je reviendrai.

Dans son confessionnal, le curé de Preux dodelinait de la tête en subissant les aveux chuchotés de la vieille Hortense :

— … pis aussi une médisance à propos de votre servante. On peut pas appeler ça de la calomnie, vu que c'est pas une menterie de dire qu'elle est négresse de partout...

Par l'entrebâillement du rideau, le curé aperçut Marie-Loup agenouillée sur un banc dans un recoin obscur de l'église. Depuis combien de temps se trouvait-elle là? Et pourquoi ne l'avait-il pas remarquée plus tôt? Dieu qu'elle était belle! Et plus désirable encore en pleine prière – une madone.

Il vit soudain la petite France apparaître au fond de l'église et s'en venir parler à sa mère à voix basse en lui remettant une lettre. Il eut de plus en plus de mal à écouter la confession d'Hortense :

— … faut itou que je demande pardon au bon Dieu d'avoir manqué de charité à propos de la femme à Le Joufflu, la pauvre. Mais ce qui me taraude le plus, c'est que j'ai commis un péché tellement grave que j'ai du mal à vous le dire, malgré que j'irais en enfer si je le disais pas...

Là-bas, Marie-Loup décachetait le pli, les doigts tremblants. Le curé interrompit la commère :

— Nul besoin d'épiloguer, le repentir sincère suffit! *Ego te absolvo ab ominus peccatis tuis, in nomine Patris et Filii et Spiritus Sancti.*

Laissant sa pénitente bouche bée, il sortit vivement du confessionnal et rejoignit Marie-Loup à la hâte, suivi par les regards obliques de quelques paroissiennes qui attendaient leur tour pour l'absolution de leurs péchés.

— Que se passe-t-il, Marie-Loup? dit-il à voix basse en s'asseyant près d'elle. Tu es toute pâle.

Elle hésita, puis lui tendit la lettre :

— J'ai besoin de votre aide...

Il inclina le parchemin vers la lumière pour le déchiffrer, pendant qu'elle le dévisageait avec avidité, comme pour lire dans ses pensées.

France sentit qu'elle était de trop et s'éloigna sans bruit.

— Alors? murmura Marie-Loup. Ne me faites pas languir...

Il poussa un profond soupir :

— Il y a là des mots qui ne peuvent être prononcés dans une église. De toute façon, ma pauvre enfant, je crains qu'ils ne te fassent plus de mal que de bien. C'est une lettre d'adieu.

— Quoi?! Comment ça, une lettre d'adieu?

Elle parut soudain manquer d'air. Il plissa les yeux comme pour mieux déchiffrer l'écriture de Le Gardeur :

— Sa tête est mise à prix... Il dit qu'il doit quitter le pays sur-le-champ.

— Mais il peut pas partir sans moi! Je lui ai dit que je le suivrais au bout du monde. Vous avez mal lu!

Il secoua la tête et pointa un mot de la lettre :

— Là, tu reconnais ce nom, n'est-ce pas? «France»... Il te supplie de rester pour le bien de ta fille. Il refuse de vous faire partager une vie pleine de... comment dit-il déjà? Ah voilà : «pleine d'embûches et de dangers».

— Ça finit comment? Est-ce qu'il dit qu'il m'aime?

— Il te supplie de l'oublier. Il ne veut pas que tu gâches ta vie pour lui. Et il te demande de ne parler de cette lettre à personne. Tu vois, il a souligné le mot...

Elle se leva en exhalant une plainte qui montait du plus profond d'elle et sortit de l'église en courant.

Le curé Louis-Alexandre Lesigny de Preux plia la lettre, la glissa dans sa soutane et se signa au nom du Père, du Fils et du Saint-Esprit. Il était livide.

Sur la crête du cap Diamant, le cœur dévasté, Marie-Loup regardait le soleil couchant sans le voir. Comme hypnotisée, elle baissa les yeux vers le gouffre ouvert à ses pieds. Une voix claire s'éleva derrière elle :

— Si tu sautes, je saute moi aussi!

Elle tressaillit et, se retournant, affronta le regard déterminé de France. Les jambes fauchées, elle tomba à genoux et prit sa fille contre elle dans une étreinte désespérée et sauvage. Elle balbutia :

— D'où tu sors comme ça? Pourquoi t'arrives toujours au bon moment?

— Il va revenir, moi je le sais! Ça se peut pas autrement.

— Mais quand? Je l'aime, ma chouette. Je l'aime tant! Comment on va faire pour vivre sans lui?

— On va faire semblant, pour garder sa place au chaud, dit France.

Sur le coude du fleuve à l'Anse-aux-Foulons, Owashak et un compagnon guerrier attendaient dans un canot pendant que Le Gardeur arpentait nerveusement la rive près de la tour de guet. Soudain, il tressaillit en apercevant une silhouette sombre qui débouchait au détour du sentier. Il reconnut le curé de Preux et se précipita à sa rencontre, pressentant le pire :

— Vous! Que faites-vous ici?

— Marie Carignan est surveillée par la milice...
à cause de ce que vous savez. Elle a craint d'être
suivie et m'a demandé de venir à sa place.

— À sa place? Pourquoi faire?

Il aperçut au loin, sur la crête d'une colline,
un détachement de cavaliers qui passaient au
galop et disparurent bientôt derrière la ligne
d'horizon.

— Pour vous parler en toute confidence. Elle a
reçu votre lettre. Hélas, elle ne peut accepter de
vous suivre. Elle doit penser aux siens, à la petite
France surtout. Elle vous supplie de ne pas lui tenir
rigueur de sa décision.

— Non, non, c'est impossible! Elle ne ferait jamais
ça... Elle a confiance en vous, monsieur le curé,
elle me l'a dit. Parlez-lui! Mais enfin, regardez-moi :
vous voyez bien que s'il est un homme capable
d'assurer son bonheur et celui de sa fille, c'est
moi – et moi seul.

— Je n'en doute pas, mon fils. Toutefois vous
la connaissez : elle en fait toujours à sa tête. Ce
n'est pas moi qui la ferai changer d'avis... Ni moi ni
personne!

— Je ne pars pas sans elle.

— On vous cherche partout! Votre obstination la
met en péril. Est-ce cela que vous voulez?

Leur discussion fut interrompue par un bruit de
cavalcade. Xavier Maillard déboucha sur le sentier
de terre et s'arrêta devant eux en tirant brutalement
sur les rênes de son cheval qui se cabra avec un
hennissement de douleur. Il pointa sur Le Gardeur
un pistolet à long canon, en armant le chien d'un
coup de pouce.

Les deux hommes se toisèrent du regard.

— Je ne suis pas armé. Le vaillant capitaine peut
m'abattre sans risque.

— Ne me tente pas, Le Gardeur!

Maillard lança un coup d'œil au prêtre qui se
tenait à l'écart, les yeux baissés. Sa présence le
contraignait à une retenue qui ne faisait pas son

affaire. Puis il regarda du côté du fleuve et dit avec un ricanement :

— Tes complices t'attendent… Décidément, la sauvagerie te colle à la peau! Ne t'avise pas de les appeler à la rescousse : la première cartouche serait pour toi.

— Pour moi, je ne demande aucune faveur, Xavier. Mais si tu es un homme d'honneur, fais en sorte que Marie-Loup ne soit pas inquiétée.

— Qui es-tu pour parler d'honneur? L'intendant Bigot t'a honoré de sa confiance et tu n'as rien eu de plus pressé que de la trahir.

— À propos de confiance, parlons donc de ton Bigot qui se remplit les poches pendant que nos soldats se font massacrer pour une guerre perdue d'avance. Il paie pour dix canons et il en reçoit cinq! N'as-tu pas eu la curiosité de jeter un coup d'œil aux registres de mon père, avant de les remettre à ton seigneur et maître?

Une ombre passa sur la physionomie de Maillard qui baissa lentement son arme :

— Je les ai regardés. C'est la seule raison pour laquelle tu es encore en vie.

— Tu es né sur cette terre, Xavier. Tes hommes aussi. Ils y vivront dans la misère jusqu'à la fin de leurs jours. À qui va ta loyauté? À tes chefs ou à ton peuple?

— Garde tes beaux discours pour ton enterrement. Je ne suis pas un fourbe, moi!

— La colonie est prise entre deux fléaux : l'ennemi qui la saigne du dehors et les vers qui la rongent du dedans. Alors dis-moi : comment vas-tu résister aux Anglais si tu es incapable de tenir tête à Bigot?

— En voilà assez. Disparais! Et je t'avertis : n'attends pas de moi une seconde chance…

Maillard tourna la bride, éperonna sa monture et s'éloigna au grand galop.

Le Gardeur aperçut Owashak qui, du canot, lui faisait signe qu'il était temps de partir. Il se tourna vers le curé, la mort dans l'âme :

— Dites-lui que je l'aime. Malgré elle!

Il ajouta, si bas que l'autre l'entendit à peine :

— Et malgré moi…

Il s'éloigna vers la rive, la mort dans l'âme. Le menton du prêtre se mit à trembler. Levant le bras, il fut sur le point de le rappeler pour lui dire la vérité, mais il ferma les yeux et se tut.

INTERMÈDE

Quelque trente ans plus tard à l'hospice de la Miséricorde, la nuit était avancée. On entendait dehors le hurlement du vent et, dans la pénombre de la salle commune, les respirations chargées de miasmes des vieillards grabataires. Ici et là, des bouches édentées remuaient en d'interminables soliloques.

Le lumignon achevait de brûler sur la table de chevet, éclairant d'une lueur vacillante la silhouette de France assise près du lit du curé de Preux. Ses yeux étaient fermés, mais il ne dormait pas. Après un silence où il semblait avoir puisé ses dernières forces, il murmura :

— Je l'aimais moi aussi... malgré moi ! Et en vérité je l'aime encore. *Mea culpa...* J'ai trompé sa confiance – et la tienne aussi. Ah, ma petite France ! Mon châtiment a été effroyable. J'ai vécu chaque jour de ma vie... dans le remords de ma trahison – chaque nuit... dans l'horreur de ses conséquences !

Le malheureux était à bout de souffle. France lui tendit un verre d'eau et lui soutint la tête pour l'aider à boire. Elle avait les joues sillonnées de larmes. Elle lui fit signe de se reposer, mais il secoua farouchement la tête et reprit :

— La miséricorde de Dieu est infinie... J'ai essayé d'obtenir Son pardon à l'usure... à force de battre ma coulpe. Sauf qu'à moi-même... je ne me pardonnerai jamais !

Sa tête retomba sur l'oreiller et il ferma les yeux. Sa respiration se changea en un râle sourd. La fin était proche.

Oppressée par l'atmosphère étouffante de la salle, France alla entrouvrir la fenêtre et s'emplit les poumons d'une grande bouffée d'air frais. Elle vit dehors les arbres qui s'agitaient, les nuages qui passaient rapidement devant la lune et en bas, devant le perron, l'attelage qui l'avait amenée. Son mystérieux compagnon de route était descendu de la voiture et, le visage levé, regardait la façade de l'hospice. Elle ne put distinguer l'expression de ses traits. Était-il impatient? Inquiet, peut-être?

Elle se détourna et revint vers le lit. Projetée par la clarté de la lune, la croisée de la fenêtre étendait son ombre sur le moribond qui balbutia :

— C'est ma croix... elle m'écrase!

CHAPITRE 10

Détonations, hurlements de frayeur, tumulte et débandade : le petit village de Saint-Joachim était à feu et à sang. Venu du port, un escadron de cavaliers en tuniques rouges traversait la place de l'Église au grand galop ; puis le vacarme des sabots sur les pavés fit place à des appels déchirants en provenance de l'auberge, suivis de bruits de lutte et de vaisselle brisée.

Une poignée de militaires arriva en courant, après avoir mis le feu à une ferme voisine.

Expulsés de l'église à coups de crosses, le curé du village et un groupe d'habitants sortirent sur le parvis, écartant les bras pour montrer qu'ils n'étaient pas armés.

En retrait, juché sur son cheval, le capitaine du bataillon surveillait le déroulement des opérations. Un lieutenant s'approcha, essoufflé, et lui dit en anglais, en désignant les Canadiens :

— Ils se sont rendus sans résister. On fait quoi à présent ?

— On suit le bon exemple du marquis de Vaudreuil.

— À savoir ?

— À savoir qu'on ne s'embarrasse pas de prisonniers !

Le lieutenant salua avec raideur et se dirigea vers l'église en faisant signe à ses hommes de se regrouper.

Au même instant, un soldat quittait l'auberge en s'essuyant la bouche du revers de sa manche, mais il n'avait pas fait cinq pas qu'une femme en furie surgissait derrière lui en brandissant une broche à gril. Elle eut le temps de la lui planter dans le dos avant qu'un coup de feu n'éclate et qu'elle ne s'écroule, touchée en pleine gorge. Le pistolet fumant à la main, le lieutenant lança un regard de mépris à l'homme qui gigotait sans pouvoir se redresser, comme cloué au sol.

Là-bas, l'incendie s'était propagé aux communs de la ferme. On entendait les cris perçants des animaux qui brûlaient vifs.

Un Iroquois s'approcha du lieutenant. Son uniforme rouge avait sur lui quelque chose de dérisoire et d'incongru, tel un déguisement de carnaval. Il brandit soudain un tomahawk et son chef eut un haut-le-corps, craignant pendant une seconde qu'il n'eût l'intention d'achever le blessé. Au lieu de quoi il demanda :

— Permission de coiffer la robe noire.

Après avoir lancé un coup d'œil au capitaine qui s'impatientait sur son cheval, le lieutenant répondit, la bouche dure :

— Permission accordée !

L'homme partit à la course vers l'église. Les habitants le regardèrent approcher, pétrifiés par la peur. Des femmes s'agenouillèrent en demandant la bénédiction du prêtre qui reçut le tomahawk en plein front avant d'avoir pu achever son signe de croix. Il tomba à genoux sans un cri, les yeux exorbités.

L'agression donna le signal d'une fuite panique. Les habitants s'éparpillèrent, mais aucun ne put aller assez loin pour se mettre à l'abri. Hommes, femmes et enfants furent massacrés sans merci, la plupart à l'arme blanche.

Resté seul sur le parvis, l'Iroquois se redressa en brandissant fièrement le scalp du curé.

Le soir du même jour, le général Murray et le capitaine Cramahé étaient accoudés au bastingage du vaisseau amiral, la mine longue. À la lueur de la pleine lune, ils pouvaient distinguer les rives du fleuve et, au loin, les silhouettes rougeoyantes de trois ou quatre fermes qui achevaient de se consumer.

— Wolfe n'en fera jamais qu'à sa tête, dit Murray avec aigreur. Soit dit entre nous, l'amiral Saunders est à bout de nerfs... Il m'a confié ce matin que si cette chienlit perdure, il repartira avec sa flotte. Il a exigé qu'un plan de débarquement lui soit présenté d'ici la fin de la semaine.

— Il n'en aura pas un, mais dix! Wolfe change d'avis tous les jours. Hier, il voulait demander à Townshend et à Monckton de tenter un débarquement en amont de la rivière Montmorency. Aujourd'hui, il parlait de cap Rouge... Une vraie girouette!

— Nos hommes ne sont pas stupides. Ils perçoivent bien qu'il y a des dissensions dans l'état-major – d'ailleurs la discipline s'en ressent. Il paraît que contrairement aux ordres, une seconde église aurait été incendiée par nos troupes. Le général était hors de lui et s'en est pris à ce pauvre Carleton, en lui disant qu'il le tenait pour responsable de cet acte barbare.

— Venant de Wolfe, un discours sur la barbarie ne peut être que source d'inspiration...

Murray lança un regard surpris à son compagnon. Était-il troublé par l'audace de son propos – ou par son bien-fondé? Après un silence, il dit d'une voix changée :

— J'ai repensé à votre remarque de l'autre jour sur le défi de gagner la paix. C'est en effet une entreprise autrement plus corsée que de tirer du canon. On dit que les Canadiens sont d'une étoffe rude, mais tissée franc et solide. Leur départ du territoire, si jamais il avait lieu, serait une perte irréparable pour l'Empire. Mais comment les rallier à notre cause?

— En évitant de perpétuer les injustices dont ils ont souffert. Des nobles, nous n'avons rien à attendre : ils n'ont de richesse que leur vanité et leur mépris des classes inférieures. Ils viennent de France pour la plupart – et pour la plupart ils y retourneront.

— Le problème se règle donc de lui-même – un cadeau de la Providence. À dire vrai, c'est le clergé qui me donne du souci.

— Il nous faudra temporiser et veiller à ce que ceux qui prêchent l'Évangile n'aient pas la présomption de se mêler des affaires de l'État, ni de la querelle entre les couronnes de France et d'Angleterre. Avec les marchands nous ferons des affaires, comme il se doit. Il n'en reste pas moins que les habitants – des paysans pour la plupart – constituent la vraie richesse de la colonie. Le régime français les a tenus dans une ignorance excessive, avec la complicité de l'Église romaine. On les a abusés. À nous de les traiter avec dignité, en les respectant pour ce qu'ils sont et que nous ne sommes pas.

— Vous en parlez avec assurance, dit Murray, comme si le projet était la simplicité même.

— Le projet est clair à mes yeux, c'est l'opacité de son avenir qui m'angoisse. Sa réussite est tributaire de l'intelligence des hommes au pouvoir. Hélas, à ce chapitre, mes doutes l'emportent sur ma confiance…

CHAPITRE 11

Dès son arrivée à Ferney, petite ville pittoresque sise à quelques lieues de Genève, Le Gardeur se présenta à la maison de Voltaire, non sans appréhension. Quel accueil allait-on réserver à sa démarche ? Un serviteur taciturne le précéda le long d'un couloir au plancher gémissant et le laissa seul dans une bibliothèque aux étagères surchargées de livres, de manuscrits et de bibelots provenant des quatre coins du monde. Allait-on le faire attendre ici une heure ou deux pour l'amener à composition, en lui démontrant l'importance toute relative de sa visite ? Non pas : la porte s'ouvrit quelques instants plus tard et le maître de céans s'inclina devant lui en le dévisageant d'un œil perçant :

— Je ne vous attendais pas si tôt, monsieur. Hélas, je ne suis pas en mesure de vous accorder aujourd'hui un entretien aussi long que le mériterait votre voyage.

— Je puis revenir, si cela vous agrée.

— J'ai atteint un âge où repousser à demain est une imprudence et parler debout, une fatigue inutile. Prenez un siège, je vous prie.

Il s'assit pour sa part dans un fauteuil à dossier droit et agita une lettre décachetée devant son visage, à la manière d'un éventail :

— Le marquis de Vaudreuil m'a parlé des péripéties de votre singulière jeunesse, en me laissant savoir de surcroît que vous n'étiez pas peu surpris par son conseil de venir me rencontrer...

— Une surprise qui ne peut vous étonner : vous avez écrit sur le Canada des mots bien cruels et, qui plus est, très injustes!

— «Cruels», je veux bien, car la vérité peut l'être. Par exemple que les Antilles seraient plus profitables à la France qu'un désert couvert de neige six mois par année! Mais «injustes»? Éclairez-moi, je vous prie.

— Vous prêchez l'abandon d'un territoire que vous n'avez jamais visité... que vous connaissez de seconde main par des témoignages qui ne reflètent en rien l'âme du peuple qui en a fait sa patrie.

— J'admire votre éloquence, encore qu'elle soit au service d'un raisonnement boiteux. Il est vrai que mon état de santé m'a retenu de rendre visite aux Sauvages du Canada. Mais il est une autre raison : c'est que l'exemple de nos nations qui se font la guerre là-bas a rendu ces Sauvages presque aussi méchants que nous!

Il poussa un soupir qui était joué et ajouta avec une pointe d'amertume qui ne l'était pas :

— Aussi me suis-je résolu à être un sauvage paisible dans la solitude qui m'est imposée... De toute façon, je n'ai pas besoin de me déplacer pour voir l'évidence.

— De quelle évidence parlez-vous?

Voltaire prit un atlas posé sur un guéridon à portée de sa main et l'ouvrit sur une carte de l'Amérique du Nord.

— Vous me parlez d'un pays, je ne vois là qu'un continent! La France en possède par traité une grande partie, je vous l'accorde. Cela étant, dites-moi : que vaut une possession que nous ne sommes pas en mesure de défendre? La guerre coûte cher et la guerre me scandalise, car je tiens que les hommes sont faits pour s'instruire et non pour s'entretuer. Quant à mener deux guerres de front, l'une en Europe, l'autre en Amérique, c'est là un scandale bien au-dessus de nos moyens!

Le Gardeur prit le temps de réfléchir avant de répondre, car il se rendait compte avec embarras que ses préventions contre les écrits de Voltaire l'avaient amené à sous-estimer l'envergure du personnage. Il déclara enfin :

— Vous ne dites rien de l'injustice faite aux Canadiens en cette tragédie. Or, «le devoir de l'honnête homme n'est-il pas de faire retentir le récit de toutes les injustices à toutes les oreilles»?

Son interlocuteur eut un haut-le-corps, puis un sourire amusé se dessina sur ses lèvres :

— Vous me citez pour mieux me contredire... Le procédé devrait me fâcher, mais votre impertinence me ragaillardit! On m'a interdit de séjour à Paris, mais cela ne m'empêche pas de me rendre incognito chez certains de mes protecteurs. M. de Vaudreuil a vu juste : Mme de Pompadour est en effet votre ultime recours. Je la rencontre la semaine prochaine... Voulez-vous m'accompagner?

— Certes, avec joie. Dieu vous bénisse, monsieur!

— Ne le mêlons pas à notre commerce, de grâce! En attendant de nous revoir, vous pourriez peut-être aller rendre visite à ce bon Jean-Jacques Rousseau qui habite non loin d'ici – à un jet de pierre, si j'ose dire. Le récit de votre séjour chez les bons Sauvages le mettra à quatre pattes, à n'en pas douter!

France s'agenouilla au pied du lit et observa le sommeil agité de Marie-Loup avec une tendresse inquiète. Le coin d'un livre dépassait de sous le traversin. C'était son abécédaire. Elle l'ouvrit et trouva un bout de parchemin avec une rangée de lettres maladroitement calligraphiées. Elle se pencha alors vers la main de la dormeuse et sourit : le bout de l'index était maculé d'encre. En cachette, Marie-Loup apprenait à lire et à écrire.

Elle tressaillit en entendant un hennissement dans la cour et se leva pour aller regarder par la fenêtre. Deux chevaux étaient attachés devant la grange. Elle revint en courant pour secouer sa mère à l'épaule :

— Viens voir ! Vite !

Quelques instants plus tard, elles surgirent toutes deux sur le seuil de la maison, mais s'immobilisèrent en voyant deux soldats qui sortaient au même moment de la grange et enfourchaient leur monture à la hâte. L'un d'eux n'était autre que le soudard balafré que Marie-Loup avait ridiculisé l'autre jour sur la Grand'Place. Il la toisa avec un petit rica- nement de triomphe et éperonna sa monture. Au passage, il cria à France :

— La prochaine fois, la pucelle, ça sera ton tour !

Marie-Loup s'en voulut de n'avoir pas saisi le fusil accroché à l'intérieur de la maison, au-dessus du cadre de la porte. Elle hésita à faire demi-tour, mais déjà les cavaliers disparaissaient au galop au tournant du chemin. Elle se précipita alors pour rejoindre sa fille qui ne l'avait pas attendue.

Les rayons du soleil entraient à l'horizontale dans la grange par les interstices entre les planches, comme des barres d'or en fusion qui révélaient des myriades de poussières en suspension dans l'air. Acoona se relevait d'un tas de foin en rajustant ses vêtements, le visage tuméfié et la bouche en sang. France se précipita pour la prendre dans ses bras.

— Ah, les maudits bâtards ! s'écria Marie-Loup, hors d'elle. Ils le paieront !

Elle sursauta en apercevant une ombre qui s'avan- çait sur le sol de terre battue, dans le rectangle de lumière projeté par l'ouverture de la porte. Elle se retourna, sur la défensive. C'était son père :

— Dis donc, je viens de voir des soldats qui s'en allaient du côté de la ferme à...

Il s'interrompit en apercevant Acoona et France :

— C'est quoi qu'y se passe là ? Y'a du trouble ?

— J'en fais mon affaire ! Emmenez les filles au moulin, voulez-vous ? Dites à maman de s'occuper d'Acoona. Elle comprendra.

Elle lança un regard intense aux deux filles, puis sortit en courant.

La maison des Le Joufflu était dans un piètre état : la porte ne tenait plus que par un gond, les vitres des fenêtres étaient brisées pour la plupart, la clôture du poulailler avait été défoncée et les plates-bandes du potager, sauvagement piétinées.

Charles de Bourlamaque déboucha au tournant du chemin à la tête d'un détachement de soldats. Presque aussitôt, Cécile Le Joufflu sortit de chez elle et poussa une exclamation de soulagement en reconnaissant l'uniforme de l'officier :

— Dieu soit loué ! J'ai cru que c'était de nouveau les Anglais... Regardez ce qu'y ont fait la semaine passée, c'est-y pas calamiteux ! J'ai eu beau leur dire que je suis rien qu'une veuve avec sept bouches à nourrir...

Bourlamaque descendit de sa monture, imité par ses hommes. Il apostropha la veuve d'un ton coupant :

— Y paraît que tes garçons refusent de joindre l'armée...

— Mes garçons ? Ben non, voyons ! Y sont beaucoup trop jeunes.

Ignorant la réponse avec un renâclement de mépris, il se tourna vers ses hommes :

— Allez-y ! Sortez tout le monde !

Une poignée de soldats s'engouffra dans la maison, écartant Cécile sans ménagement.

Marie-Loup arriva dans la cour de la ferme quelques minutes plus tard. Elle sauta au bas de son cheval et se précipita vers Cécile qui bégayait de terreur, serrant contre elle ses enfants les plus jeunes. Des miliciens surgirent de la maison, tenant par le collet les deux aînés de quatorze et quinze ans, aux yeux encore bouffis de sommeil. Courbant le dos sous les taloches, ils furent contraints d'aller rejoindre le reste de la troupe qui attendait à l'écart.

— Trop jeunes, tes gaillards? De qui tu te moques, la mère? Compte-toi chanceuse! On devrait les fusiller sur place – sauf qu'on a besoin d'eux pour défendre la patrie.

Sur un signe de Bourlamaque, trois soldats allumèrent des torches sans se soucier des supplications éperdues de la malheureuse, puis entrèrent dans la maison pour en ressortir en courant quelques instants plus tard.

Blême d'indignation et de colère, Marie-Loup vint se planter devant l'officier :

— Avez-vous perdu la raison? Cette femme est Canadienne, ses enfants aussi. Comme vous, comme moi! On est tous nés ici. C'est contre les Anglais qu'il faut vous battre, sacrebleu! Vous avez peur d'eux, ou quoi? C'est toujours moins risqué de s'attaquer à des habitants sans défense, pas vrai?

Le feu s'était propagé dans la construction de bois avec une rapidité effrayante. Déjà, des flammes sortaient par les fenêtres et léchaient les murs extérieurs. Effrayés, les chevaux s'éloignèrent du brasier en hennissant.

Cécile tomba à genoux en exhalant une plainte sourde, ininterrompue, qui venait du plus profond d'elle.

Marie-Loup fit un pas vers Bourlamaque, prête à lui sauter à la gorge. Il l'arrêta en lui pointant son pistolet en plein visage :

— Assez! Je te reconnais, la furie! C'est toi qui as maté le chien enragé au bal du Gouverneur. T'es une sorcière, à ce qu'on dit. C'est le temps ou jamais de montrer tes pouvoirs…

Marie-Loup leva un doigt accusateur vers le soldat balafré qui, inquiet, recula de quelques pas vers la maison en flammes :

— Montrez d'abord les vôtres! Ce scélérat est passé ce matin chez nous avec un acolyte. Ils ont violé Acoona, une fille qui a même pas quinze ans.

— La petite sauvagesse? C'est pas un délit. Y sont même pas tenus de le dire à confesse!

Marie-Loup cracha devant les bottes de l'officier :

— Vous êtes le chef, mais vous valez pas mieux que votre racaille!

Il pâlit sous l'insulte et sa main se crispa sur la crosse de son arme. Il réussit toutefois à se contenir et fit signe à ses hommes d'aller rejoindre les chevaux à l'entrée de la cour.

Tournant son regard étincelant de haine vers le balafré, Marie-Loup cria une imprécation qui fut en partie couverte par le fracas de l'incendie :

— ... malédiction ... périras... feu de l'enfer!

Au même instant, un pan entier de la maison vacilla avec un craquement puissant. Voyant le danger, le soudard s'éloigna en courant, mais il trébucha et s'étala devant le poulailler. La façade s'effondra d'un seul coup, l'ensevelissant sous une avalanche d'étincelles. Le brasier était d'une telle intensité qu'il fut impossible de lui porter secours – d'ailleurs, ses cris d'agonie furent de courte durée.

Les soldats observaient le désastre, comme pétrifiés. Puis les regards se portèrent vers Marie-Loup et une expression de peur superstitieuse apparut sur les visages. Bourlamaque la dévisageait lui aussi – et ses yeux trahissaient son trouble dans son masque brutal et arrogant.

Alors que les flammes crépitantes l'auréolaient d'une sorte d'aura surnaturelle, Marie-Loup lui lança d'une voix rauque :

— Ta guerre, tu viens de la perdre, maudit sans-cœur!

CHAPITRE 12

Ignorant les avis contraires de ses brigadiers-généraux, James Wolfe décida de lancer une attaque près des chutes Montmorency, avec l'espoir d'ouvrir une brèche dans les lignes françaises. L'emplacement ne pouvait être plus mal choisi. Après avoir débarqué des chaloupes, les grenadiers anglais furent contraints d'attaquer de front les postes ennemis retranchés sur les hauteurs d'un escarpement. Ils furent décimés par le feu nourri des soldats français et des miliciens canadiens. La retraite fut sonnée dans le plus grand désordre.

Au lendemain de cette expédition désastreuse, Wolfe garda le lit, terrassé par une crise aiguë de gravelle et de rhumatismes. Il était de santé fragile, compliquée d'un caractère rétif aux moindres contrariétés. Après s'être mis à dos l'amiral Saunders en attribuant la déculottée à la faiblesse de la couverture du tir de l'artillerie navale, il fit savoir qu'il se passerait pour quelques jours de la fréquentation de ses officiers – un «ramassis d'incompétents et de couards», selon ses termes les moins offensants. Aussi s'abstint-il de répondre aux coups insistants frappés un matin à sa cabine. Son silence ne fut pas pris en compte et la porte s'entrouvrit bientôt sur le visage soucieux de Cramahé. C'était bien la dernière personne qu'il désirait voir :

— Allez au diable !

— J'ignore son adresse, dit le visiteur en s'approchant du lit.

Wolfe lui lança un regard méfiant. Son menton et ses mains tremblaient sous l'effet d'une forte fièvre :

— Vous êtes dispensé de sollicitude, capitaine Cramahé.

— Un revers passager, général !

— La débâcle à Montmorency n'est pas un revers, c'est une tache indélébile sur le blason d'un gentilhomme. Je n'aurai même pas la consolation d'avoir ruiné ma santé pour la gloire de Sa Majesté. Et nul espoir en vue pour racheter ma disgrâce...

— La fièvre vous est mauvaise conseillère, dit Cramahé en lui versant un verre d'eau. Je viens vous parler en ami.

Le verre s'entrechoqua contre les dents du malade alors qu'il buvait avec avidité. Il reprit son souffle et répliqua avec rudesse :

— Je n'ai pas d'amis. Et si j'en avais un, je le perdrais à force de mettre sa loyauté à l'épreuve... Que me voulez-vous ?

— Les renforts du général Amherst sont en route. Ne serions-nous pas avisés de les attendre avant d'exécuter votre plan ?

— J'ai un plan, moi ?

— Vous avez parlé l'autre jour d'une attaque en force par le cap Rouge...

— Une hypothèse... Il en est une autre.

Il essuya de la main la sueur qui ruisselait sur son visage blafard et désigna du regard une carte déroulée sur la table de la cabine. Cramahé se pencha et suivit du doigt la côte nord du fleuve, en aval et en amont de Québec.

— Je ne vois pas, avoua-t-il, intrigué.

— Personne ne voit, dit Wolfe avec un petit ricanement satisfait. C'est ce qui fait la force de mon projet. Mais vous n'en saurez pas davantage. Bon vent !

Le capitaine recula vers la porte avec un mouvement d'hésitation qui fut aussitôt remarqué :

— Quoi, encore ?

— Une faveur, général. Une grâce, plutôt. L'autre jour, un paysan a été fait prisonnier – un père de famille. Vous l'avez condamné à être pendu à la prochaine escale, pour l'exemple.

— Et après? Il a avoué sa collaboration avec l'ennemi, que je sache.

— De la façon dont l'interrogatoire a été conduit, il aurait avoué n'importe quoi. Quoi qu'il en soit, vous n'êtes pas sans savoir que le régime français a cruellement exploité l'ignorance des Canadiens. On leur a fait croire qu'au lendemain de notre victoire, ils seraient gouvernés avec une verge de fer et subiraient les pires outrages. À nous de leur prouver le contraire. Et notamment que la clémence est l'apanage de la toute-puissance.

Wolfe ferma les yeux et enfonça sa tête dans l'oreiller. Il n'avait visiblement pas l'intention de poursuivre l'entretien. Cramahé soupira et ouvrit la porte, mais s'immobilisa sur le seuil en entendant la voix rauque déclamer avec emphase :

Why, soldiers? Why should we be
melancholy, boys?
Why, soldiers, why – whose business 'tis to die?

Interloqué, Cramahé chercha à comprendre l'à-propos de cette étrange déclamation. Son visage se rembrunit :

— Alors, pour la grâce de ce malheureux... c'est non?

— Oui...

— Comment ça, oui?

Wolfe entrouvrit les paupières pour laisser passer un regard glacé :

— Oui : c'est non.

CHAPITRE 13

Le petit carrosse du révérend Augustin-Louis de Glapion avançait dans une rue étroite de la haute ville de Québec, bordée de murs crevés et de charpentes calcinées. Les canons des bateaux anglais massés sur le Saint-Laurent tonnaient au loin ; des boulets passaient en sifflant dans les airs et des colonnes de poussière et de fumée s'élevaient au point d'impact. Le cocher était d'ailleurs incapable de conduire son attelage en ligne droite, car la chaussée avait été labourée par la pluie de projectiles.

Le procureur des jésuites était un sexagénaire qui cachait une poigne implacable sous un vernis d'affabilité et de mansuétude. Intellectuel, stratège et diplomate, il se croyait investi d'une mission salvatrice. Il prêtait peu d'attention à son apparence ; sa soutane aux manches élimées était d'une propreté douteuse. Par la portière de la voiture, il contemplait l'ampleur des dégâts d'un air sombre. Des carcasses d'animaux gisaient dans la cour d'une maison éventrée, encore fumante.

En traversant une esplanade en bordure des remparts, la voiture croisa Xavier Maillard qui rejoignait à cheval un détachement de miliciens. Répondant à un signe de Glapion, le capitaine bifurqua vers le carrosse.

— Le chemin est-il sûr, capitaine ?

— Certes ! À tout le moins, aussi sûr qu'il peut l'être.

— J'envie votre confiance, mon fils. Moi qui n'entends rien aux affaires de la guerre, je ne puis me défendre contre le soupçon que notre situation est critique, pour ne pas dire désespérée.

— Sauf votre respect, mon révérend, vous avez tort. Les troupes de Bougainville sont postées sur la falaise, Montcalm est sur la côte de Beauport et Vaudreuil contrôle l'embouchure de la rivière Saint-Charles – un dispositif redoutable !

— Redoutable peut-être, mais guère redouté. Il n'a pas empêché le colonel Monckton d'installer ses batteries sur la pointe de Lévis... Non sans résultat, si j'en crois mes sens !

— Les Anglais gaspillent leurs munitions. Québec est inexpugnable !

— Puissiez-vous avoir autant de foi pour la sauvegarde de votre âme...

Maillard inclina la tête alors que le père de Glapion le bénissait d'un signe de croix, puis il tourna bride pour gagner l'extrémité de l'esplanade, où les miliciens bouclaient leur équipement et se mettaient en rang sans enthousiasme. Ils faisaient piètre figure dans leurs uniformes défraîchis et troués. La fatigue, les privations et la peur se lisaient sur les visages. La plupart portaient une barbe de plusieurs jours ; les autres avaient les joues lisses – ils n'avaient guère plus de douze ou treize ans.

Xavier Maillard mit pied à terre et fit signe au chef du groupe de le rejoindre à l'écart :

— Secoue ta troupe, sergent ! On m'informe que les Anglais s'apprêtent à débarquer en aval.

— Une autre ruse pour nous faire courir ! Ça fait des semaines qu'ils nous tiennent sur les dents. On est à bout, capitaine ! On va tous se faire massacrer. Et pourquoi ? Pour défendre des ruines !

— C'est la peur qui te fait parler comme ça ? Les galons que tu portes, c'est pour ceux qui ont du cœur au ventre...

Le sergent se raidit, salua Maillard, puis se tourna vers ses hommes :

— En avant, les gars ! Secouez-vous les puces ! Le capitaine me confirme que les renforts de France arrivent demain à la première heure – peut-être même ce soir.

L'annonce fut accueillie par des murmures sarcastiques et des ricanements.

Le révérend de Glapion se rendit sans plus d'encombre chez Angélique de Roquebrune, dont la belle maison avait été durement touchée par les bombardements. Un laquais au regard fiévreux et méfiant vint lui ouvrir.

— Conduis-moi auprès du marquis de Montcalm. Et abstiens-toi de mentir : je sais qu'il est ici.

Il découvrit en entrant que nombre de vitres et une partie du mobilier avaient été fracassés par le pilonnage des Anglais. À l'arrière de la demeure, il descendit un escalier récemment construit qui donnait accès à un abri souterrain, éclairé par des meurtrières au ras du sol et des chandelles en grand nombre.

La casemate improvisée avait été meublée tant bien que mal à l'aide des plus belles pièces de la maison. Le sol de terre battue était couvert de tapis luxueux et des peintures décoraient les murs de moellons bruts. Le contraste était d'autant plus saisissant que la maîtresse de maison était assise en compagnie du général, échangeant des mondanités comme aux plus beaux jours de la colonie.

De Glapion s'inclina devant la belle Angélique :

— Mes respects, madame. Veuillez excuser cette interruption cavalière. Hélas, je ne suis pas maître des événements !

S'adressant ensuite à Montcalm, il redoubla d'onctuosité, ce qui était une façon bien à lui d'exprimer son dédain pour le personnage :

— Monsieur le Marquis ! Monseigneur Pontbriand m'a chargé de prendre langue avec vous de toute urgence. Sa confiance a été très ébranlée par la tragédie de cette nuit. Comme vous le savez, des bombes sont tombées sur la cathédrale, et une partie de la résidence épiscopale a pris feu... Les Anglais n'ont-ils donc aucune considération pour les institutions religieuses?

Le général leva une main conciliante et répondit avec cet accent méridional qui allégeait la lourdeur de sa pensée :

— Une malencontreuse erreur de tir! Le général Wolfe m'en a donné l'assurance, avec l'expression de ses vifs regrets. Et une caisse de cet excellent vin...

— J'ignorais que vous aviez des contacts avec l'ennemi.

— L'ennemi? Dans la bouche d'un jésuite, le terme manque de charité! Pourquoi ne pas parler d'un adversaire, voire d'un opposant?

Il poussa discrètement un verre sur la table en direction du révérend de Glapion, puis leva la bouteille avec une moue de connaisseur :

— Je préfère ce genre de cadeau à celui que le colonel Rooke a sollicité de M. de Bougainville... Comment, vous n'êtes pas au fait? Il l'a prié de tenir en réserve du vin de Champagne et une jolie Canadienne dont il ferait usage dès son arrivée.

— Ne me faites pas rougir! s'écria Angélique en agitant son éventail pour chasser une roseur imaginaire. Puis elle minauda un sourire à l'intention de Glapion :

— Excusez-le, mon père. Chassez le général et le soudard revient au galop!

— Rassurez-vous, je n'ai pas l'ouïe assez fine pour saisir les sous-entendus. D'autant que les bombardements nous ont proprement assourdis, en nous contraignant de surcroît à chercher refuge au milieu de la nuit chez les ursulines. Un emménagement des plus inconfortables!

Montcalm remplit son verre qui n'en était pas à son premier baptême :

— Je ferai porter ce soir quelques bouteilles à notre évêque pour égayer son humeur. Ah, je vois qu'il y a autre chose...

De Glapion avait tiré une petite affiche de sa tunique et la dépliait comme si elle lui brûlait les doigts :

— On l'a trouvée ce matin placardée contre la porte du couvent. Vous remarquerez qu'elle est signée de la main du général Wolfe. L'opposant se fait poseur d'affiche… et se manifeste à l'intérieur de nos murs. A-t-on jamais vu pareille outrecuidance !

Montcalm prit la proclamation et en fit à mi-voix une lecture entrecoupée de petits gloussements moqueurs :

— «Il est permis aux habitants de revenir avec leurs familles dans leurs maisons. Je leur promets ma protection. Si, au contraire, un entêtement déplacé leur fait prendre les armes, qu'ils s'attendent à souffrir ce que la guerre offre de plus cruel. La France abandonne leur cause dans le moment le plus critique…»

Il fut interrompu par l'arrivée en coup de vent du lieutenant Jean-Baptiste de Ramezay qui le salua, le torse raide :

— Général ! Je suis ici par ordre du gouverneur Rigaud de Vaudreuil !

Angélique se leva avec un sourire invitant :

— Reprenez votre souffle, mon ami ! Et le temps de saluer la compagnie…

Montcalm toisa le nouveau venu avec une moue sarcastique :

— Je vous ai entrevu l'autre jour chez l'intendant, où vous faisiez grise mine. Il est vrai que la fréquentation de M. Bigot ne favorise guère la pratique de l'extase… Il se plaint de n'avoir pas assez de main-d'œuvre pour parachever les fortifications de la ville, mais cela ne l'a pas empêché de faire construire cette casemate pour notre charmante hôtesse.

— Tsttt, tsttt, mon ami ! La jalousie vous rend acerbe !

— Et la gratitude vous rend imprévoyante. Vous seriez bien avisée de vous chercher un autre protecteur... Ou alors, préparez-vous à accompagner celui-ci à la Bastille!

Notant le raidissement de Ramezay, il ajouta d'un ton cassant :

— Je mets votre loyauté à rude épreuve, n'est-il pas vrai? Et je n'ai encore rien dit du marquis de Vaudreuil, notre bien-aimé gouverneur. Voilà des mois que je le turlupine à ma façon, avec la bénédiction du ministre. On lui a d'ailleurs fait défense de paraître à la tête des armées sans ma permission... Alors? Pour quelle entreprise veut-il me consulter aujourd'hui?

Il saisit le pli qu'on lui tendait et le parcourut des yeux avec un soupir exaspéré. Ignorant le lieutenant, il se tourna vers Angélique et de Glapion :

— Une attaque imminente des Anglais, à terrain découvert. En voilà une surprise! Le gouverneur me conjure d'attendre son arrivée avant de donner l'assaut – et d'attendre aussi les renforts de M. de Bougainville. S'imagine-t-il que je vais rester les bras croisés? Et donner à l'ennemi le loisir de débarquer et de se retrancher derrière ses canons?

Bien qu'il n'en fût pas prié, de Ramezay ne put s'empêcher de donner son avis :

— Si les renforts attaquent par-derrière et la garnison de la ville par-devant, les Anglais se retrouveront embrochés de barbe en queue : pas un seul ne rembarquera.

— Je me méfie des victoires faciles! déclara sèchement Montcalm, avant d'adoucir le ton en s'inclinant devant Angélique : L'Histoire retiendra que l'intendant et le gouverneur ont conspiré pour m'éloigner du plus beau fleuron de la Nouvelle-France!

Le révérend de Glapion se leva à son tour :

— J'en profite pour tirer ma révérence, avec moins de panache, hélas! Mes hommages, madame.

Les trois hommes se retirèrent. Angélique les suivit des yeux – de Ramezay, plus longuement que les autres. Il était jeune, nerveux et fringant, capable sans doute de monter dix fois à l'assaut entre le crépuscule et l'aurore – et même treize, pourquoi pas? Elle n'était pas superstitieuse.

En sortant de l'auberge *Au Chien-qui-dort*, Xavier Maillard aperçut Marie-Loup au milieu de la foule des habitants qui profitaient de l'accalmie des bombardements pour vaquer hâtivement à leurs occupations. Accompagnée de France et d'Acoona, elle conduisait sa charrette à travers les obstacles qui jonchaient la Grand'Place.

Soudain, l'air fut troublé par le sifflement d'un boulet de canon qui alla s'écraser avec fracas sur la maison du notaire. Presque aussitôt, d'autres projectiles s'abattirent sur la place, précipitant un sauve-qui-peut général.

Marie-Loup et les deux filles se mirent à courir en vue d'aller se réfugier dans la cave voûtée de l'auberge, abandonnant derrière elles leur cheval qui, terrifié par les explosions, s'enfuit à l'épouvante en tirant derrière lui la carriole qui se disloqua sur les pavés.

La façade lézardée par le premier boulet fut à nouveau frappée de plein fouet. Un pan entier du mur bascula et, avec un vacarme assourdissant, s'abattit de guingois sur la chaussée. Un nuage de poussière s'éleva, plongeant la place dans un brouillard opaque et une pluie de gravats.

Les bombardements cessèrent aussi soudainement qu'ils avaient commencé.

Marie-Loup se retrouva accroupie à quatre pattes dans un espace exigu, coincée entre le mur de la maison et le pan qui s'en était détaché. Toussant et crachant, à demi aveuglée, elle se dressa sur ses coudes et, après d'interminables secondes, finit par distinguer la silhouette de sa fille dans la pénombre. Allongée sur le ventre et toussant elle aussi, elle tentait de se dégager d'un amas de briques.

— France! Pour l'amour…

— Je peux pas toute seule… Maman! Aide-moi!

— Bouge pas! J'arrive!

S'écorchant les bras et les jambes, elle rampa vers la fillette qui, entre deux quintes de toux, balbutiait des propos décousus :

— … à cause d'elle… poussée dans le dos… fort… la poutre est tombée… pourquoi j'ai rien… pas juste… elle a tout pris !

— Parle pas, ma chouette ! Respire ! Respire profond !

Elle réussit à la dégager, mais ses derniers efforts déclenchèrent une nouvelle averse de poussière et de fragments de mortier. Elle couvrit la petite de son corps pour la protéger. Des craquements inquiétants se firent entendre : le mur incliné était en équilibre instable.

Entendant des voix d'hommes qui s'interpellaient sur la Grand'Place, elle se détourna pour appeler à l'aide, mais la voix lui manqua et elle faillit s'étouffer. Elle prit alors une pierre et frappa contre le mur à coups redoublés. Une autre chute de gravats la fit se rouler en boule – elle crut sa dernière heure arrivée.

Elle revint vers France qui, agenouillée, creusait désespérément à deux mains dans un tas de pierrailles et de plâtras.

— Acoona ! Mais parle-moi, dis quelque chose ! Maman, on va la sortir de là… Jure-moi qu'elle va pas mourir !

Marie-Loup l'aida à dégager le visage et les épaules de l'adolescente. Une poutre massive lui écrasait le torse et sa respiration n'était plus qu'un râle sifflant. Elle avait encore une lueur de conscience et avança la main vers France en gémissant.

— Je te tiens, Acoona ! dit la fillette. Je te lâche pas, jamais.

Une écume rougeâtre apparut entre les lèvres qui formèrent un dernier mot :

— Merci !

Les voix d'hommes s'étaient rapprochées et Marie-Loup reconnut bientôt celle de Maillard.

— Holà, la Carignan ! Tu m'entends ? Enfin quoi, réponds !

Elle frappa à nouveau contre le mur.

— Oui, c'est ça! Venez vite les gars, elles sont là-dessous!

Les miliciens réussirent à dégager une ouverture en conjuguant leurs forces pour déplacer une partie de la cheminée qui surmontait la façade avant son effondrement. Un tremblement sourd les avertit que le mur risquait de s'effondrer d'un instant à l'autre.

Maillard se pencha par l'orifice et tendit le bras vers Marie-Loup.

— Donne-moi la main! Ça va?

Plus loin dans la pénombre, Acoona échangea un dernier regard intense avec France, puis ses yeux se révulsèrent et sa main relâcha son étreinte.

France hurla :

— Non, non! Faut pas dire merci! Vilaine, t'as pas le droit!

Marie-Loup la saisit par le bras, mais elle se dégagea avec force : elle ne voulait pas abandonner son amie.

Nouveau craquement et pluie de gravats. Marie-Loup recula, attrapa les chevilles de France et, courbée en deux, la tira de force vers l'ouverture, sans se laisser arrêter par ses cris.

Maillard lui prêta main-forte pour sortir du trou, puis voulut aider la fillette à se redresser. Elle le repoussa et se lança contre sa mère pour lui marteler la poitrine à coups de poings, en sanglotant de douleur et de rage. Il les obligea sans ménagement à se diriger vers le milieu de la Grand'Place. Non sans raison : le poids du mur incliné l'emporta sur la solidité de la façade qui se creusa d'un coup en son centre et s'effondra dans un grondement de cataclysme.

Marie-Loup mit un genou à terre et attira France contre elle pour l'étreindre, et encore plus et encore davantage... La petite desserra les poings et, avec un gémissement de détresse qui montait du fond de sa gorge, se laissa envelopper.

Au palais de l'Intendant, la salle des fêtes avait perdu son faste et son lustre : des tentures pendaient de travers, plusieurs fenêtres avaient été défoncées et, devant les grands miroirs ébréchés, le buffet n'offrait que des restes de nourriture guère appétissants. Tout ici respirait la tristesse et la décadence d'une fin de régime.

Un effort dérisoire avait pourtant été fait pour recréer l'ambiance des beaux jours. L'orchestre était là au complet – une demi-douzaine de musiciens un peu hagards qui jouaient sans conviction des airs faussement gais pour faire danser des fillettes en robes de cour – des robes aujourd'hui fripées et défraîchies. Le maître de danse était à pied d'œuvre lui aussi et veillait au grain, mais il ne s'était pas rasé depuis trois jours et son élégance naturelle s'en ressentait. De temps à autre, la musique était couverte par des coups de canons plus ou moins lointains, alors que des lueurs inquiétantes s'allumaient à l'horizon.

Assis à une grande table d'apparat, l'intendant Bigot passait en revue les documents que François-Charles de Bourlamaque soumettait à son attention. Il les signa et y apposa son sceau, après avoir chauffé la cire à cacheter sur la flamme d'une bougie. Il était dans un état d'extrême fébrilité et s'interrompait à tout moment pour vider sa coupe de champagne ou battre la mesure à deux mains. Il apostropha soudain le commandant :

— Le général Wolfe a toujours été à l'abri du génie, mais il aura eu l'élégance de périr sur un champ de bataille. Cela étant, quelle bourde monumentale ! S'avancer à découvert sur les hauteurs d'Abraham... Sacrebleu ! Il jetait ses troupes dans la gueule du loup !

— Il n'empêche qu'il a remporté la victoire...

— Ah oui ?! Vous donnez dans le détail, mon ami. S'il suffisait de gagner pour avoir raison, la violence serait l'alliée de la vérité. Vaste perspective ! Savez-vous au moins pourquoi nous avons été battus ?

Parce que nous n'avons pas eu l'audace d'imaginer que les Anglais puissent être plus bêtes que nous.

Il se détourna pour envoyer des baisers mouillés aux petites danseuses qui riaient de lui sous cape :

— Mes prix de consolation ! Si mignonnes... et beaucoup moins innocentes qu'il n'y paraît. Fiez-vous à ma parole !

Il aperçut Angélique qui venait d'entrer dans la salle et approchait d'une démarche un peu hésitante.

— Une autre qui vient me réconforter. Sa bonne volonté m'épuise, comme autrefois ses bontés. Quant à vous, monsieur, vous pouvez disposer ! Je dois à présent éteindre des feux et je me suis laissé dire que vous n'étiez prompt qu'à les allumer...

Bourlamaque s'éloigna, la mine longue. Angélique, en le croisant, lui décocha un regard noir.

Bigot se leva pour accueillir sa maîtresse, mais l'abus du champagne avait rendu son équilibre précaire et il fut obligé de prendre appui sur la table.

— J'ai dit que je ne voulais voir personne. Mais peut-être vous qualifiez-vous pour cette définition...

Elle feignit de n'avoir pas compris et le dévisagea d'un air soucieux :

— Il faut vous reposer, mon ami. Vous n'avez pas fermé l'œil de la nuit.

— Vous le disiez jadis comme un compliment, fit-il avant d'ajouter, en montrant les documents étalés sur la table : L'Histoire me réclame des comptes... déjà ! Il est grand temps de prendre vos distances, chère amie.

— Je ne vous abandonnerai pas !

— Je le sais. Aussi bien est-ce moi qui vous laisse. Mieux qu'une preuve d'amour, voyez-y un témoignage d'amitié. Car avant longtemps je vais dégager une odeur de soufre...

— Je vous en prie ! Vous devriez penser...

Elle fut interrompue par le sifflement d'un boulet de canon, suivi d'une explosion toute proche.

Quelques vitres volèrent en éclats. Instinctivement, elle avait levé les bras pour se protéger la tête, alors que Bigot était resté impassible, le regard comme absent. Il remarqua d'un ton détaché :

— Les maladroits! Dommage… Une issue rapide ne serait pas à dédaigner. Sans compter qu'il n'y a guère de panache à s'éteindre dans son lit. La postérité préfère les morts glorieuses.

Il fit une pause, le temps de retrouver sa causticité :

— Pour comble, j'ai l'assurance que le général Townshend nous accordera les honneurs de la guerre. Profitez donc des bonnes dispositions de l'ennemi pour vous refaire une virginité – et pour parfaire votre connaissance de l'anglais. Je gage que ces messieurs seront sensibles à votre maîtrise de la langue…

Angélique pâlit et retint ses larmes :

— Vous n'avez de cesse de me rabaisser. Pourquoi?

— Qui sait? Peut-être pour ne pas vous regretter outre mesure…

Il détourna les yeux pour dissimuler un trouble fugitif, mais se ressaisit en voyant le révérend de Glapion traverser la salle d'un pas décidé, en écartant sans ménagement les fillettes qui se trouvaient sur son passage.

— Le procureur des jésuites qui avance en ligne droite… On aura tout vu! Cela dit, son air de satisfaction me fait craindre le pire.

— Une terrible nouvelle, monsieur l'intendant! dit le prêtre, essoufflé. Le général Montcalm a succombé à ses blessures.

— Et moi qui croyais que la honte l'achèverait en premier. Le bon marquis aura poussé l'incompétence jusqu'à mourir deux fois!

Marie-Loup avait arrêté sa charrette dans le soleil couchant, au sommet du cap Tourmente. Sur la banquette à côté d'elle, France regardait le paysage avec une expression angoissée. Quelles sombres pensées la rendaient si insensible au rougeoiement de l'automne, au scintillement du fleuve, au lent assoupissement de la nature ? Sa mère passa son bras autour de ses épaules pour l'attirer contre elle.

— Comment qu'on fait pour oublier ? demanda la petite en retenant ses larmes.

— Faut même pas essayer ! Si tu l'oublies, ça veut dire qu'elle est morte pour rien.

— Mais moi, j'aimerais mieux plus y penser. Plus jamais ! Comme ça, j'aurai plus mal.

— C'est pas comme ça qu'il faut s'y prendre.

— Comment qu'on fait alors ?

— En la gardant vivante dans ton cœur. De cette façon, tu peux toujours lui parler et lui confier tes chagrins.

— Des fois, je suis fâchée après elle…

— Ça aussi tu peux lui dire. Elle va comprendre.

France réfléchit, puis soupira et se blottit davantage contre sa mère :

— Ça me fait du bien quand on parle ensemble…

— À moi aussi ! Quand t'étais dans mon ventre, toi et moi on était rien qu'une. Puis quand t'es née, t'es devenue toi-même.

— Ça t'a fait de la peine ?

— Au début. Parce que j'aurais jamais pensé que je pouvais me sentir encore plus proche de toi. Comme maintenant…

Un long silence… Le regard de Marie-Loup se perdait dans la contemplation du fleuve.

— Je t'aime, maman ! Je t'aime tellement si fort !

La marquise de Pompadour avançait avec une nonchalance étudiée dans la somptueuse galerie des glaces du palais de Versailles, en grande discussion avec l'illustre Voltaire :

— Je vous avoue n'être pas sortie indemne de ma fréquentation de *Candide* – ce qui ne m'empêche pas d'attendre votre prochaine œuvre avec une vive impatience !

— Accordez-moi de reprendre mon souffle, chère amie. Je ne suis plus de première jeunesse et il m'est arrivé dernièrement de m'endormir sur un manuscrit, ce qui est le privilège exclusif de mes lecteurs…

Un groupe de courtisans les suivaient à distance respectueuse, chacun guettant un signe pour approcher et glisser un mot d'esprit, une flatterie ou une supplique à la toute-puissante maîtresse du roi. En retrait, Le Gardeur observait ce bel aréopage, dont les hochements de perruques et les ronds de jambes lui faisaient penser à la déambulation des canards, des poules et des pintades dans la basse-cour du moulin Carignan.

— Pour dire la vérité, ajouta Voltaire en souriant du bout des lèvres, j'approche tout doucement du moment où les philosophes et les imbéciles ont la même destinée…

Il regarda du côté de Le Gardeur et agita la main pour l'inviter à se joindre à la conversation, au grand dam des courtisans qui se demandaient ce que ce godelureau avait bien pu faire pour s'attirer une telle faveur.

— Mes hommages, madame!

La Pompadour toisa le jeune homme avec une curiosité amusée :

— Vous trahissez l'image que j'entretenais d'un coureur des bois… M. Voltaire m'a instruite de l'objet de votre voyage. Je vais vous faire un aveu, monsieur. Hier encore, j'aurais prêté une oreille distraite à la requête du marquis de Vaudreuil. Des nouvelles reçues tôt ce matin me la font voir sous un autre éclairage.

— Des nouvelles, madame? Du Canada?

— Un combat perdu par nos troupes à la mi-septembre aux portes de Québec. La ville a tenu, mais le général Montcalm y a laissé la vie.

— … atteint d'une balle dans le dos, précisa Voltaire. Le jargon militaire – qui ne brille pas par sa générosité – appelle cela une blessure de fuite.

— Le général Wolfe non plus n'a pas survécu. On relate qu'il a déclamé un poème sur le champ de bataille. Ses vers vont avoir de la concurrence... Vous paraissez souffrant, monsieur Le Gardeur.

— Je le suis, madame. Je pense aux êtres chers que j'ai laissés là-bas.

— Comme nous pensons à tous ceux que nous y avons perdus. Hélas! La France saigne aujourd'hui sur plusieurs fronts et l'argent manque pour épancher toutes ces blessures. William Pitt prétend que la guerre en Europe sera gagnée en Amérique – une formule bien tournée, mais qui sonne creux. À dire vrai, le calcul des Anglais échappe à mon entendement. Pour nous arracher le Canada de force, ils dépensent plus d'or que la colonie n'en rapportera jamais! Et nous savons par nos espions qu'ils préparent une nouvelle offensive...

— Raison de plus pour la France de se porter à notre secours et de démettre de leurs fonctions les profiteurs et les incompétents.

Voltaire ne put s'empêcher d'intervenir :

— Éliminer les incompétents des postes de commandement? Vous proposez là rien de moins qu'une hécatombe, jeune homme!

La Pompadour reprit avec une note d'impatience dans la voix :

— L'armée française n'a pas dit son dernier mot, monsieur. On m'assure que notre garnison de Montréal est en mesure de résister longtemps aux agaceries de l'ennemi. La Nouvelle-France ne s'appellera jamais la Nouvelle-Angleterre... Qu'en pense notre ami le philosophe?

— Il tient que faire la guerre est comme écrire un roman, répondit Voltaire avec une fine ironie. Qu'importe que la fin soit heureuse ou tragique, l'art est de mettre le point final à la bonne place, ni trop tôt, ni trop tard.

Le Gardeur s'inclina :

— J'entends dans le propos une permission de me retirer. J'ai longtemps cru que les Anglais étaient les principaux ennemis des Canadiens. Ils sont les plus visibles, certes – et en conséquence les moins dangereux ! Je vous sais gré de m'en avoir instruit.

Il tourna les talons et s'éloigna, la rage au cœur.

Le soir même à Paris, dans sa mansarde du Quartier latin, il se surprit à écrire une lettre à la clarté tremblotante d'une lampe à huile : «*Je pense sans cesse qu'il serait mieux pour moi de ne plus penser à toi. Et je ressasse sans répit toutes les bonnes raisons que je me donne de t'oublier. Je veux fermer à jamais le livre de notre histoire – et toujours les pages où nous nous sommes aimés s'ouvrent d'elles-mêmes sous mes doigts...*»

Il posa sa plume, prit la feuille de parchemin et la parcourut des yeux. Soudain, d'un geste rageur, il la froissa et la jeta par terre, où elle rejoignit ses essais des nuits précédentes : une douzaine de feuillets froissés en boule.

Il se leva et, par la lucarne, regarda la silhouette des toits de la Sorbonne sous la lune blême. Pour la première fois depuis son départ de Québec, il craignait que le désespoir ne finît par l'emporter sur les certitudes de son cœur.

Marie-Loup était assise devant l'abécédaire de sa fille et calligraphiait laborieusement une rangée de lettres à la lueur d'un bout de chandelle. Elle avait décidé qu'elle saurait lire et écrire pour son vingt-cinquième anniversaire.

France apparut derrière elle en chemise de nuit, pieds nus, les yeux clignotants. Elle demanda d'une petite voix :

— Tu viens pas dormir ?

— J'ai pas sommeil.

Elle s'approcha de sa mère qui continuait son labeur en se mordillant les lèvres et l'observa en silence avant de se décider à l'interroger :

— C'est à cause de François ? Tu lui parles encore ? Je veux dire, dans ton cœur...

— Non, je lui parle plus, dit-elle en posant sa plume. Je fais tout ce que je peux pour l'oublier.

— Ça a pas l'air de marcher.

Le visage de Marie-Loup se contracta et les larmes jaillirent malgré ses efforts pour les retenir. Elle posa son front sur l'épaule de France qui leva doucement la main pour lui caresser les cheveux :

— Tu te rappelles ce qu'on s'est dit sur le cap Tourmente ? Si je pouvais, j'arrêterais de grandir et je reviendrais toute petite dans ton ventre. Comme ça, tu serais plus jamais seule. On recommencerait depuis le début…

Huit mois plus tard, le soir du 9 septembre 1760, le glas sonnait sur la Grand'Place. Les dégâts causés à l'église par les bombardements avaient été en partie réparés, à l'exception des vitraux qui, pour la plupart, étaient encore brisés. Le grand crucifix qui surmontait le maître autel avait été sorti et dressé au haut des marches du parvis.

Le curé de Preux, agenouillé tête courbée au pied de la croix, priait en silence. Sa posture dramatique causait une sourde tension dans l'assemblée des fidèles massés autour de lui. Les retardataires qui débouchaient à la hâte des ruelles transversales s'interrogeaient du regard, la mine inquiète.

Soudain, le glas se tut. Le curé se redressa et, faisant face à ses ouailles, prit la parole dans un silence absolu :

— Mes frères, mes amis ! La guerre est finie. Le gouverneur Vaudreuil a signé hier à Montréal la capitulation générale de la colonie. Les Anglais se sont engagés à reconnaître aux habitants la jouissance de leurs maisons et de leurs biens. Le libre exercice de la religion catholique subsistera en son entier. Les habitants pourront s'assembler dans les églises et fréquenter les sacrements sans être inquiétés d'aucune manière. Le vicaire général Briand a confié au clergé la mission de prêcher la bonne entente avec le vainqueur et de veiller au respect de son autorité.

Chaque mot du prêtre creusait son chemin dans les visages qui l'entouraient – celui de Marie-Loup, celui de France, de Madeleine et de Joseph Carignan, de Colosse et de Mélodie, de Cécile Le Joufflu, de la vieille Hortense et de tous les autres, jeunes et vieux.

Xavier Maillard était là, lui aussi. Il n'avait plus son uniforme de capitaine et un pli d'amertume marquait sa bouche en permanence. Il vint sans bruit se placer à la droite de Marie-Loup.

Le curé fit une pause pour se recueillir. Soudain, un long frémissement passa sur sa physionomie et sa voix s'enroua :

— C'est cela que j'avais à vous dire : la Nouvelle-France n'est plus !

Un frisson passa dans l'assemblée. Les gens se regardaient, incrédules. Certains se mirent à pleurer ; d'autres s'étreignirent comme à des funérailles ; plusieurs tombèrent à genoux pour prier.

CHAPITRE 14

Le drapeau de l'*Union Jack* flottait au sommet d'un mât planté en bordure du fleuve. Malgré le grand soleil, il faisait un froid extrême. Le fleuve, gelé de part en part, était couvert de neige à l'exception du passage entre la pointe d'Argentenay, au nord de l'île d'Orléans et la berge du Cap-aux-Oies, mis à nu par les rafales de vent.

Sur ce pont de glace, balisé par de maigres sapins, des chevaux galopaient à une vitesse effrénée, attelés à des traîneaux de course aux patins équipés de fines lames de métal. Une écume savonneuse couvrait leur poitrail et une vapeur blanche sortait de leurs naseaux, aussitôt cristallisée par le froid. Des fers à multiples crampons étaient fixés à leurs sabots.

La course était disputée par quatre concurrents : un sergent anglais du nom d'Uriah Fowler, Xavier Maillard et deux habitants de L'Ange-Gardien, Alexis Thibault et Rodrigue Baillargeon. Ils se tenaient debout sur leurs traîneaux, maniant les guides, claquant du fouet et poussant des cris puissants pour stimuler les bêtes.

Près de la rive, une cinquantaine de spectateurs battaient des mains et des pieds pour se réchauffer. France était là avec sa mère ; elle approchait de ses onze ans et son regard avait gagné en détermination et en intensité ce qu'il avait perdu en innocence. Le curé de Preux se tenait non loin en compagnie de Mélodie et du forgeron Colosse. Un peu à l'écart, une poignée de soldats en uniforme rouge entouraient le colonel Rooke qui était resté assis dans son traîneau, les mains engoncées dans un manchon de castor. À sa droite, le capitaine de milice Rosaire Quesnel suivait les progrès de la course avec une attention singulière. C'était un homme sec et dégingandé, au long visage morose et aux yeux tristes.

Des exclamations effrayées s'élevèrent dans l'air coupant lorsque le traîneau de Baillargeon décrocha à l'avant-dernier tour, entraînant avec lui hors de la piste l'attelage de Thibault. Fowler et Maillard, maintenant seuls en lice, amorcèrent leur dernier circuit en prenant des risques insensés. Le bruit de la glace qui éclatait sous les crampons des chevaux et le claquement cinglant des fouets doublaient de volume en se réverbérant sur la surface gelée du fleuve.

Le curé de Preux observait Marie-Loup du coin de l'œil. Ses sentiments pour elle n'avaient pas changé et le taraudaient chaque jour davantage. Elle était toujours aussi belle et désirable, mais son sourire se faisait plus rare et plus distant. Il ne connaissait que trop les raisons de cette réserve, pourtant il ne put se retenir de demander à France à voix basse :

— Ta maman n'a pas l'air dans son assiette...

— C'est à cause que ses souvenirs prennent trop de place.

La course s'était encore accélérée. Fowler avait consolidé son avance et la victoire lui semblait acquise. Il prit toutefois la dernière courbe avec trop d'impétuosité et son attelage se mit à déraper, hors de contrôle. Il eut juste le temps de sauter du traîneau avant que son cheval ne s'étale. Glissant sur le flanc à pleine vitesse, la malheureuse bête donna droit sur les replis et les arêtes de glace en bordure de piste. L'impact fut effroyable : une explosion de chair et de sang.

Tirant de toutes ses forces sur les guides de sa jument, Maillard réussit à éviter la collision avec l'attelage démantelé de son concurrent. Son traîneau dérapa à son tour, mais il parvint à le redresser à temps, puis à l'immobiliser après la ligne d'arrivée. Les spectateurs se précipitèrent vers lui avec des applaudissements et des cris. Là-bas, Uriah Fowler se relevait péniblement et regardait son cheval déchiqueté en secouant la tête, l'air de se dire : «Je l'ai échappé belle!»

Le colonel Rooke était visiblement contrarié par la défaite du sergent. Rencontrant le regard attentif de Rosaire Quesnel, il joua les bons perdants en disant avec un geste de magnanimité :

— Une belle course, n'est-il pas? Quand il s'agit de tourner en rond, vos compatriotes sont imbattables.

Le major ignora la pointe et répondit pensivement :

— Votre homme était assuré de la victoire. Le risque qu'il a pris au dernier tournant n'était pas logique.

— Le jeu est comme le vin : à trop le courtiser, la tête vous manque.

Quesnel salua le major et s'éloigna. Rooke le suivit des yeux et se renfrogna : sa remarque avait éveillé un doute dans son esprit.

Plus loin, Maillard serrait les mains et accueillait les félicitations avec une moue de contentement. Il avait fière allure. Il chercha Marie-Loup des yeux et lui sourit. Elle le salua d'un hochement de tête et s'éloigna aussitôt.

Le lendemain de la course, en sortant de la boulangerie, Marie-Loup fut prise à partie sur la Grand'Place par une petite clique d'habitants qui faisaient cercle autour de Fanchon Labroue, une paysanne à l'allure négligée qui la désigna du doigt en criant d'une voix aiguë :

— C't'à cause d'elle que mon Louis y veut plus d'moi. Elle m'a jeté un sort!

— C'est vrai, j'ai tout vu! dit la commère Antoinette qui était myope comme une taupe. Elle lui a fait le signe du Malin à la sortie de la messe, comme ça! (Elle pointa l'index et l'auriculaire pour figurer les cornes du diable.)

— C'est pas la première fois, renchérit la vieille Hortense en se signant à la hâte. Y'a des choses qu'y vaut mieux pas dire…

La cabale se resserra sur Marie-Loup qui, contrainte de ralentir le pas, apostropha la jeune paysanne en la regardant droit dans les yeux :

— Tu fleures pas la violette, la Fanchon! Si tu te lavais plus souvent, ton mari irait peut-être pas dormir dans la grange.

Un traîneau s'arrêta devant l'auberge *Au Chien-qui-dort*. Le conducteur, méconnaissable sous ses vêtements couverts de neige, observa le petit attroupement en mettant pied à terre.

Gaspard, un paysan au visage épais, s'avança pour donner une poussée à l'épaule de Marie-Loup, en lui jetant d'une voix menaçante :

— T'sais c'qu'on leur fait icitte aux sorcières? Tu serais mieux de…

Il se plia en deux en poussant un cri de douleur, car une main lui avait saisi l'oreille et la tordait sans ménagement, avant qu'un coup de pied ne l'envoie rouler dans la neige.

Le nouveau venu ôta son casque de fourrure et interpella les habitants avec véhémence :

— Rentrez chez vous, bande d'ignares! Je vais vous dire ce que vous êtes : des crottés, des gobeurs, des pisse-froid et des abrutis! À présent, faites de l'air!

La vieille Antoinette tenta de se rebiffer :

— On sait pourquoi tu fais le godelureau, Xavier!

Il lui brandit un doigt menaçant sous le nez :

— Fais attention à ce que tu dis, la Toinette! Sinon, je raconte comment t'étais à vingt ans, et pourquoi que ton cul et ta vertu ne faisaient pas la rime!

Suffoquant d'indignation, la commère tourna les talons. Le reste de la clique la suivit dans sa retraite en maugréant.

Marie-Loup se détourna et courut vers son attelage. Xavier la suivit des yeux, puis se dirigea vers la boulangerie.

— Xavier!

Il s'immobilisa, la main sur la poignée de la porte. Il jeta un coup d'œil par-dessus son épaule. Marie-Loup le regardait, debout dans son traîneau :

— Merci!

— N'importe quand, mignonne!

Il entra dans l'auberge, traversa la salle enfumée et s'attabla dans un coin sombre devant un homme au visage chafouin – le sergent Uriah Fowler qui portait une ample vareuse par-dessus son uniforme. Ils échangèrent quelques mots à voix basse. S'assurant que personne ne leur prêtait attention, Xavier sortit une poignée de pièces et les refila à son acolyte qui fit la grimace et murmura en anglais :

— Maudit bâtard! T'as eu toute la gloire et maintenant tu me fais l'aumône. Des fois que t'aurais pas remarqué, j'ai failli y laisser ma peau!

— On a fait un marché, l'ami! Le compte y est. Compte-toi chanceux que Rooke n'ait pas flairé la magouille.

— Ferme-la! Il en a fait pendre pour moins que ça.

— C'est pour ça qu'on a intérêt à rester discrets, pas vrai?

Fowler baissa les yeux et empocha le magot en grommelant.

La veillée du Nouvel An battait son plein dans la grande salle du moulin Carignan. Le buffet était modeste et le vin clairet, mais les invités n'en boudaient pas pour autant leur plaisir. La servante Isabelle s'était mise sur son trente et un et son décolleté généreux lui avait valu un froncement de sourcils du curé, suivi de coups d'œil furtifs et réitérés. Elle s'approcha de Maillard et lui glissa :

— On est fâchés ou quoi? Pourquoi tu viens plus réchauffer mon lit?

Xavier fit la sourde oreille et lui tourna le dos. Il n'avait d'yeux que pour Marie-Loup qui venait d'entrer par la porte du fond et cognait l'une contre l'autre deux bûches de bois pour les débarrasser de leur gangue de neige et de glace avant de les enfourner dans la gueule rougeoyante du gros poêle en fonte.

Dans son coin, le curé s'efforçait d'accorder son attention aux confidences de deux paroissiennes, mais son regard déviait malgré lui vers Maillard – il le regardait regarder Marie-Loup.

— Au moins, elle restera chez nous...

— Plaît-il?

Confus, il se rendit compte qu'il avait exprimé sa pensée à mi-voix. La vieille Hortense le dévisageait avec une curiosité sournoise. Il s'éloigna en marmonnant quelque chose sur l'atmosphère étouffante de la salle. Au même instant, un violoneux se mit à jouer et le brouhaha s'éteignit alors que le forgeron Colosse entamait un chant puissant d'une magnifique voix de baryton :

À la claire fontaine
M'en allant promener
J'ai trouvé l'eau si belle
Que je m'y suis baigné
Il y a longtemps que je t'aime
Jamais je ne t'oublierai
Sous les feuilles de chêne
Je me suis fait sécher
Sur la plus haute branche
Le rossignol chantait
Chante, rossignol, chante
Toi qui as le cœur gai
Tu as le cœur à rire
Moi je l'ai à pleurer
Il y a longtemps que je t'aime
Jamais je ne t'oublierai.

L'auditoire écoutait avec émotion. Marie-Loup sentit le picotement d'un regard sur sa nuque et, se détournant, rencontra les yeux de Xavier, brûlants de désir. Elle baissa la tête, troublée.

Colosse fut chaleureusement applaudi. Le violoneux se lança aussitôt dans un rigodon endiablé et des couples se mirent à danser avec des exclamations et des rires.

Marie-Loup sentit une main qui la tirait vers le bas. Elle se pencha, et France lui murmura à l'oreille :

— Il est pas pour nous!

Elle se redressa en prenant un air dégagé, car Maillard s'était approché, comme s'il avait deviné qu'on parlait de lui. Il tenait un petit chat dans les mains et le tendit à la fillette :

— Tiens, prends-le! Lui aussi a besoin d'être protégé…

— J'aime pas les chats.

Il feignit de n'avoir pas entendu et se détourna pour faire signe au meunier Carignan qu'il avait quelque chose à lui dire.

France s'éloigna et, au passage, posa le chaton sur les genoux de la vieille Hortense qui reçut le cadeau avec une mine offusquée.

Carignan précéda Maillard dans l'entrepôt du moulin. À l'opposé de la salle commune qu'ils venaient de quitter, la température ici était glaciale.

— Dis ce que t'as à dire, Xavier Maillard. Mais je t'avertis : c'est pas ce que tu gagnes à faire le scribe pour les Anglais qui peut te permettre de te mettre en ménage. Alors si c'est pour ma fille, la réponse est non.

— Je veux vous demander sa main, c'est vrai! Et votre réponse, ça va être oui!

Le meunier le dévisagea durement :

— C'est pas parce que t'es le neveu du vicaire général que t'es icitte en odeur de sainteté. Tu bois, tu fais la noce. On dit qu'y a pas une putain à Québec qui connaît pas ta pointure!

— C'est fini?

— Je tiens à ma réputation, moi! Te donner ma fille, ce serait faire une tache sur mon nom!

Xavier ne put retenir un ricanement :

— La réputation du meunier Carignan! Parlons-en! Savez-vous que Bigot et ses acolytes ont été écroués à la Bastille? Ces messieurs sont devenus intarissables sur les matoiseries de l'ancien régime. Votre nom est cité dans certains procès-verbaux, tout comme celui de votre acolyte, M. Le Gardeur père. Il serait regrettable que ces documents se retrouvent en circulation à Québec…

Carignan se figea, les poings serrés. Il réfléchit et changea de ton – une volte-face qui prouvait que le bonhomme pensait vite et savait piler sur son orgueil quand ses intérêts vitaux étaient en jeu :

— C'est vrai que les temps sont durs, mon ami. Pour la dot, faudra pas être trop gourmand.

Xavier lui posa la main sur l'épaule :

— C'est votre fille qui m'intéresse, beau-père. Quant au reste, entre honnêtes gens, il y a toujours moyen de s'entendre…

Marie-Loup posa une marmite sur le poêle. Dans le fond d'un chaudron de cuivre accroché au-dessus de l'âtre, elle aperçut le visage de Maillard qui s'approchait. Elle recula et s'appuya contre lui. Il l'entoura de ses bras et couvrit ses mains des siennes. Elle se dégagea doucement, indécise encore.

— Je sais que tu penses encore à lui, dit-il à voix basse.

Elle ferma les yeux. Il lui fit faire demi-tour pour la regarder en face. Elle releva ses paupières :

— Et toi, l'aurais-tu oublié?

— Tu as perdu ton amant… et moi j'ai perdu mon meilleur ami. S'il nous a laissés sans nouvelles, c'est qu'il n'est plus de ce bas monde. Il n'y a pas d'autre explication qui tienne.

Elle retint ses larmes. Il lui prit les mains et l'attira contre lui. Elle s'abandonna et laissa éclater son chagrin.

Là-bas, perdue dans le brouhaha de la salle commune, France observait ce qui se passait dans la cuisine, le visage défait. Sa grand-mère Madeleine l'aperçut et s'approcha, inquiète. La petite lui tourna le dos et prit la fuite.

La fête était finie et Marie-Loup, de retour chez elle, dénouait ses cheveux devant un bout de miroir. France l'observait, la mine soucieuse. Même si elle en ignorait le nom, la résignation était une ombre qu'elle avait observée maintes fois sur le visage ridé de sa grand-mère, mais jamais sur celui de sa mère. Son ressentiment fit place à une alarme subite :

— Tu vas pas l'épouser, dis?

Marie-Loup soupira et chercha ses mots, elle qui d'habitude en trouvait cent pour formuler une seule pensée :

— Le vie est dure dans ce pays… surtout pour une femme seule. Toi, dans quelques années, tu vas quitter la maison. Ne dis pas non, je le sais! Seulement, moi, je veux pas me retrouver seule.

— Justement! C'est avec lui que tu vas te retrouver seule.

Marie-Loup dévisagea sa fille comme si elle avait de la peine à la reconnaître :

— Des fois, tu me fais peur. Tu grandis trop vite.

— Pas assez vite pour t'empêcher de faire une bêtise!

Marie-Loup arrêta d'arranger sa chevelure, mais continua de scruter son reflet dans le miroir. Elle sondait son cœur et n'y trouvait que tumulte et confusion. Pourtant, déjà, sa décision était prise.

Pour la première fois de sa vie, elle baissait les bras.

CHAPITRE 15

L'hiver s'achevait et les cloches sonnaient à pleine volée pour la sortie des fidèles sur le parvis où la neige avait commencé à fondre. Les familles et les amis se pressèrent autour des nouveaux époux pour les féliciter. Sur la Grand'Place, des badauds observaient l'événement avec des regards entendus, et une vapeur blanche sortait de la bouche des commères qui échangeaient des commentaires à voix basse.

Une religieuse, mère Marthe-de-la-Passion, se tenait en retrait, la main posée sur l'épaule de France. On avait peine à croire qu'elle était la sœur aînée de Madeleine Carignan – elle paraissait plus jeune de dix ans au moins. Son visage était lisse et ses yeux d'une eau calme et profonde. Pourtant, à l'instant même, alors qu'elle observait la jeune mariée, une ombre fugitive les troubla. Que voyait-elle au-delà des apparences ?

Marie-Loup l'aperçut et, lâchant le bras de Xavier, s'approcha d'elle avec vivacité :

— Merci d'être venue, ma tante. J'en suis si heureuse ! Je vous ai pas vue dans l'église, pourtant j'ai pensé à vous tout soudain et j'ai senti que vous étiez là. C'est la vérité !

Elle lança un coup d'œil à France comme pour la prendre à témoin, mais la fillette l'ignora, gardant les yeux obstinément baissés.

Une chaînette avec une médaille en pendentif était mystérieusement apparue entre les mains de la religieuse qui la passa autour du cou de sa nièce :

— Voici qui te protégera du mal et des malins ! Et pour faire bonne mesure, j'aurai à vêpres un petit conciliabule avec le bon Dieu à ton sujet.

— Ma tante, c'est trop ! C'est de l'or. Je n'ai jamais eu un tel...

— De l'or fin pour du vif-argent, dit-elle en l'embrassant avec émotion ; puis, plongeant son regard dans le sien, elle ajouta à mi-voix : Prends soin de toi, ma petite âme rebelle !

Marie-Loup voulut répondre, mais Xavier s'était approché pour attirer son attention sur le colonel Rooke qui débouchait de la haute ville avec une escorte de cavaliers. Avisant l'attroupement devant l'église, l'Anglais descendit de son traîneau et s'approcha des nouveaux mariés, alors que les gens s'écartaient précipitamment sur son passage. Il s'adressa à Maillard en un français délié :

— N'est-ce pas là notre vainqueur de la fameuse course de chevaux ? Je vois que vous relevez ce jour un nouveau défi. Mes compliments ! Puissiez-vous tenir les rênes de votre mariage avec la même... ingéniosité.

Marie-Loup crut déceler une note sarcastique dans le propos et, bien que Rooke ne se fût pas adressé à elle, elle répliqua du tac au tac :

— Être comparée à une jument ne peut flatter qu'une Anglaise, major !

Il lui lança un regard aigu, puis se détourna sans répondre pour aller rejoindre son attelage. Dans son dos, Maillard échangea un regard rapide avec le sergent Fowler qui se trouvait à la tête de l'escorte, puis se tourna vers Marie-Loup qui devina à son froncement de sourcils que sa repartie n'avait pas été appréciée.

Ce soir-là, les derniers invités de la noce quittèrent le moulin vers onze heures, à la clarté de la demi-lune. La neige glacée de mars portait les sons de loin en loin et on les entendit chanter avec des voix de fausset longtemps après qu'ils eurent disparu.

Maillard sortit à son tour et alla prendre appui contre une corde de bois pour vomir sans vergogne. Il se redressa enfin et, titubant un peu, rejoignit Marie-Loup qui l'attendait, les bras serrés contre elle, frissonnante.

— Ton père est un pisse-vinaigre. Servir de la piquette aux noces de sa fille! Y devrait avoir honte.

— Viens, Xavier, on rentre! Fait trop froid pour dégoiser.

Alors qu'ils marchaient vers la ferme, elle jeta un coup d'œil par-dessus son épaule en songeant à France qui était restée au moulin pour dormir. Elle l'avait à peine vue de la soirée et elle dormait déjà quand elle était allée lui souhaiter bonne nuit. «Elle faisait peut-être semblant», pensa-t-elle avec l'impression troublante que, derrière les vitres sombres, la fillette les observait à l'instant même.

À l'instant même, les premières lueurs blêmes du petit matin se levaient sur les toits de Paris et, par les fenêtres ovales, se mêlaient aux ombres des mansardes du Quartier latin.

Le Gardeur s'agita sur sa couche comme s'il manquait d'air et, dans son demi-sommeil, étendit le bras pour chercher près de lui la présence qui habitait son rêve. Sa main ne rencontra que le vide. La femme qu'il aimait s'était donnée à lui et il ne se résignait pas, même au plus profond de sa torpeur, à n'avoir jamais connu la joie de se réveiller auprès d'elle.

Après avoir plongé son visage dans une bassine d'eau glacée, Maillard s'ébroua en se raclant la gorge. Il était en partie dégrisé et s'essuya la bouche du revers de la manche. Puis il se retourna, intrigué par le silence.

Marie-Loup était debout devant lui, nue et frissonnante. Il s'avança et la prit dans ses bras.

— Dieu que t'es belle! Ça fait longtemps que je te désire, la Marie... Mais ça tu le savais! Seulement, faut pas croire, je suis capable d'aimer pour de vrai... Et toi, là, t'es prête à être à moi pour toujours?

— Pour que je sois à toi, faut d'abord que tu me prennes, dit-elle timidement en se dirigeant vers le lit.

Le moulin du Noroît n'était jamais silencieux. Même au creux de la nuit, des bruits mystérieux l'habitaient – des craquements, des grincements, des trottinements se mêlaient aux respirations des dormeurs et aux gémissements sourds du père Carignan, tenaillé par les rhumatismes.

France rejeta ses couvertures et s'approcha de la fenêtre pour regarder la silhouette de la maison là-bas au bout de la cour – *sa* maison. Transie, le visage fermé, elle posa sa poupée Cassandre sur le rebord du châssis et lui enfonça lentement une aiguille à tricoter en plein cœur.

Dans la pénombre, Maillard chevauchait Marie-Loup et la travaillait à corps perdu. Il ne manquait pas d'expérience et prenait son temps, guettant ses réactions avec une fierté de conquérant :

— T'aimes ça, ma catin, dis?

Le visage contracté, Marie-Loup cherchait refuge dans son plaisir. Elle gémit de plus en plus fort et pensa, en se débattant contre le vertige : «Je n'y arriverai pas!» Et soudain, comme pour la narguer, le refrain de la chanson entendue le soir même lui revint à l'oreille : *«Il y a longtemps que je t'aime, jamais je ne t'oublierai.»* Elle ouvrit les yeux et aperçut le beau visage de Le Gardeur penché sur elle. Elle se mordit les lèvres pour se retenir de crier : «François!», puis ferma les paupières afin de garder intacte la vision de son bien-aimé. Elle accueillit la jouissance avec un râle de délivrance – et une indicible détresse.

Essoufflé, Maillard relâcha son étreinte et s'étendit à côté de cette créature farouche qui, ce matin à l'église, avait pris l'engagement solennel devant Dieu de remplir ses devoirs d'épouse avec respect et obéissance. Il eut un rictus de satisfaction et tourna la tête vers elle pour recevoir son dû : un compliment sur sa besogne, voire une expression de gratitude. Il découvrit avec stupeur qu'elle luttait pour contenir ses sanglots. Et, avec une certitude instantanée et aveuglante, il sut qu'elle ne l'aimait pas – qu'elle ne l'aimerait jamais.

Le Gardeur se réveilla en sursaut et, se dressant sur sa couche, regarda autour de lui sans savoir où il se trouvait. Puis, recouvrant ses esprits, il se leva sous la poussée d'une impulsion irrésistible, enfila ses vêtements et rassembla fébrilement ses affaires pour les jeter pêle-mêle dans le baluchon de vieux cuir qu'il était allé chercher sur le dessus de l'armoire. «Il n'y a pas une minute à perdre», murmura-t-il, sans pour autant connaître la raison précise d'une telle précipitation. Certes, Marie-Loup lui était apparue. Et après? Était-ce un motif suffisant pour partir à l'épouvante? Elle l'avait souvent visité en rêve, alors pourquoi celui de cette nuit le plongeait-il dans une telle frénésie?

Au moment de partir, il se retourna sur le palier pour jeter un dernier coup d'œil à la chambre et tressaillit : pendant une seconde, il avait eu l'impression de voir remuer la courtepointe de son lit, comme si elle recouvrait une forme humaine.

C'était le début d'avril et, bien que le temps fût au beau fixe depuis une semaine, l'air du large restait vif et mordant. Emmitouflé dans une vareuse en grosse toile, Le Gardeur était appuyé au bastingage de la caravelle et regardait s'éloigner les côtes du Finistère. Reviendrait-il jamais en France?

Il sentit une présence approcher dans son dos.

— On n'est pas déjà parti qu'on a hâte d'arriver, monsieur Le Gardeur!

Il se retourna et reconnut Robert Mainguy, le compère borgne qu'il avait aperçu autrefois à l'auberge

Au Chien-qui-dort en compagnie de l'infortuné Le Joufflu :

— Ça alors! Le monde est petit comme un écu! Que fais-tu ici?

— Je gagne ma vie, parbleu! C'est ma huitième traversée. Je passe plus de temps sur mer que sur terre. Faudra ben un jour que j'apprenne à nager!

— Si j'entends bien, tu retournes régulièrement à Québec?

— J'ai pas l'choix, à cause que la Georgina m'attend de pied ferme. J'y ai déjà fait cinq lardons, ça la tient pas mal occupée. Encore que le p'tit dernier soye un brin trop noiraud à mon goût!

Il cligna son œil valide et partit d'un rire mouillé. Le Gardeur hésita avant de lui poser la question qui lui brûlait les lèvres :

— À propos… as-tu des nouvelles du meunier Carignan?

— C'pas le meunier qui vous intéresse, mon beau monsieur! Vous voulez savoir pour sa fille, la belle Marie-Loup… Me dites pas que vous pensez encore à elle!

— Et quand ce serait?

— Alors ce serait pas futé. Vu qu'elle est mariée à présent.

— Mariée? dit Le Gardeur en accusant le coup. Avec qui?

— C'est plutôt *contre qui* qu'y faut demander…

La porte de l'écurie s'ouvrit et Marie-Loup sortit dans la chaude lumière de juin. Qu'y avait-il de changé en elle? Elle était toujours aussi farouchement belle, mais il y avait une réticence sur son sourire et comme une ombre dans son regard. Elle s'approcha de Colosse qui était venu ferrer les chevaux – le sien et la jument de Maillard.

— France dit que tu veux me parler.

— Je veux te parler parce que j'ai de quoi à te dire. Quelque chose que personne y sait. C'est à propos de Mélodie. À propos de moi itou.

C't'à dire d'elle et de moi. De nous deux, quoi, tu comprends?

— Je comprends que Mélodie est bien chanceuse. Tu as parlé à monsieur le curé?

— Je savais pas que c'était son esclave. Je croyais que c'était rien qu'une servante. Lui, il est d'accord de l'affranchir chez le notaire pour que je puisse la marier.

Le forgeron reprit son travail en soupirant, la mine longue.

— C'est quoi qui te taraude, Colosse?

— C'est Mélodie. Elle refuse d'être donnée pour rien. Elle veut que j'y paye son prix au curé, à cause de sa fierté. Sauf que moi, c'est une vraie femme que je veux.

— T'as qu'à l'acheter comme esclave. Pis après tu lui donnes sa liberté en cadeau de noces.

Colosse réfléchit, puis son visage s'épanouit. Il considéra Marie-Loup avec une admiration sans borne :

— Comment que tu fais pour être aussi intelligente?

— Je le suis seulement pour les autres... À part ça, je m'inquiète pas pour Mélodie. Même si tu la prends comme esclave, c'est elle qui te fera manger dans sa main.

Le géant considéra cette possibilité et murmura d'une voix troublée :

— Tu crois? Moi, je dirais pas non!

Retenant un sourire, Marie-Loup alla verser des déchets de nourriture dans l'auge des pourceaux qui grognaient bruyamment dans leur enclos. Elle remarqua que Colosse continuait à l'observer d'un air préoccupé.

— Quoi encore?

— Quand tu dis que t'es pas intelligente pour toi, tu penses à quelqu'un d'autre.

— C'est vrai. Mon mariage s'en va à vau-l'eau. J'ai cru que je pourrais...

— Dis-y au maudit que s'y t'bardasse, y'aura affaire à moi!

Marie-Loup s'apprêtait à répondre quand elle aperçut un cheval qui approchait au galop à travers champs. Elle reconnut l'homme qui le montait sans selle ni harnais bien avant qu'il n'arrivât dans la cour et son cœur se serra : elle ne l'avait pas revu depuis le départ de François. Que lui voulait-il aujourd'hui?

Sans descendre de sa monture, Owashak lui tendit la main pour l'inviter à le rejoindre en croupe, se contentant de lui dire en abénaquis :

— On a besoin de toi.

— C'est la vieille Matawa qui t'envoie? Il lui est arrivé quelque chose?

— On a besoin de toi. Viens!

Au terme d'une longue chevauchée dans une forêt vallonnée aux arbres espacés, Owashak et Marie-Loup débouchèrent dans une clairière à proximité du village abénaquis.

— Descends! dit-il en arrêtant sa monture.

À peine eut-elle mis le pied à terre qu'il repartit en flèche. Prise au dépourvu, elle regarda autour d'elle avec inquiétude. Pourquoi était-il venu la chercher de si loin, si c'était pour la planter là sans un mot d'explication? Elle tressaillit en entendant un craquement dans les fourrés et, se retournant, aperçut entre les branches une silhouette qui avançait vers elle.

Elle se raidit, le visage exsangue et resta pétrifiée pendant quelques secondes, puis elle se lança sur Le Gardeur comme une furie, les poings levés. Il évita la volée de coups de son mieux, mais l'assaut était si violent qu'il fut contraint de reculer. Elle ramassa vivement un morceau de bois mort et le brandit comme un gourdin. Craignant de la blesser en se défendant, il s'enfuit en gravissant une petite colline boisée. Elle se lança à sa poursuite mais, arrivée au sommet, trébucha sur une racine et s'étala dans les fougères.

Il fit demi-tour et se précipita pour lui venir en aide. Elle s'était déjà relevée et l'accueillit toutes griffes dehors, pleurant et haletant de rage tout à la fois. Il réussit à l'immobiliser en lui saisissant les poignets, mais elle se dégagea furieusement et s'éloigna en courant sur le promontoire rocheux qui dominait la rivière mugissante. Voyant qu'elle ne pouvait aller plus loin, elle voulut revenir sur ses pas, mais Le Gardeur lui barrait le chemin, les bras écartés.

En contrebas, à l'entrée du village, Owashak observait leur affrontement. Le bruit des rapides l'empêchait d'entendre les propos échangés là-haut, mais il en devinait sans peine la teneur. Marie-Loup se vidait le cœur en criant à tue-tête, et Le Gardeur attendit qu'elle fût à bout de souffle pour lui répondre. Elle vacilla sous le choc de ce qu'il lui disait et secoua la tête comme pour nier une révélation trop cruelle. Quand il eut fini de parler, elle se laissa tomber en se recroquevillant sur elle-même, terrassée par le chagrin. Il s'agenouilla près d'elle et la prit dans ses bras. Elle cacha sa tête dans son cou, le corps secoué d'interminables sanglots.

La nuit était tombée. Owashak et ses compagnons veillaient autour du feu et échangeaient des plaisanteries à voix basse en jetant des regards entendus vers le wigwam dressé un peu plus loin.

À l'intérieur de la tente, Le Gardeur était accoudé sur une couche de fourrures et regardait Marie-Loup dormir. Ému, il se remémorait ce qu'elle avait murmuré avant de sombrer dans le sommeil : «Quand tu me fais l'amour, je ne sais plus où tu commences et où je finis. Tu es ma vie, mon éternité... »

Elle s'agita soudain et se dressa à demi, l'air égaré.

— Mais enfin, je suis ici! Regarde, c'est moi!

— Toi et personne d'autre, dit-il en lui caressant les cheveux. Tout doux, calme-toi! C'était rien qu'un rêve.

Elle le dévisagea avec inquiétude et fit un effort pour reprendre pied dans le temps présent :

— Non, c'est autre chose! On était dans un jardin... Tu ne me reconnaissais pas. Je t'ai donné une rose pour que tu te souviennes de moi. Et tout à coup tu ne me voyais plus, comme si j'étais devenue invisible.

— Je n'ai pas besoin de te voir pour savoir que tu es là. Et toi, sais-tu que j'oublierais mon nom avant d'oublier le tien?

— Tu me fais chavirer l'âme. Parle! Parle encore!

Elle l'empêcha cependant d'obéir en se collant contre lui et en le bâillonnant d'un baiser affamé qui n'en finissait pas de finir.

CHAPITRE 16

Le repas du soir tirait à sa fin quand des coups ébranlèrent la porte du moulin. Le père Carignan n'eut pas le temps de répondre que déjà son gendre faisait irruption dans la salle commune. Il était à l'évidence de fort méchante humeur. France se leva aussitôt et disparut sans bruit.

— Ma femme est pas là? dit Maillard d'une voix rogue. Je rentre du marché et je trouve quoi? Personne dans la maison et rien à manger sur la table! Vous l'avez drôlement élevée, votre fille.

Du geste, Madeleine Carignan lui proposa de s'asseoir, mais il ignora l'invitation. Il se retourna pour prendre un verre sur le buffet et fit signe à la servante Isabelle de le remplir. Elle s'approcha vivement, un pichet de vin à la main, et il en profita pour lui lancer un regard de connivence, à l'insu de ses hôtes.

Quelques instants plus tard, la jolie métisse s'esquivait discrètement.

Le meunier se leva brusquement, les poings serrés :

— C't'assez, Maillard! Ton père était sans le sou, mais il avait des manières. Dommage que t'en aies pas hérité. Y serait pas fier de toi, à c't'heure!

Madeleine s'interposa pour empêcher que la chicane ne s'envenime :

— Marie-Loup est allée chez les Sauvages par charité. Colosse dit qu'on avait besoin d'elle pour soigner la vieille Matawa.

Maillard but son verre d'un trait et le déposa avec force sur la table :

— Soigner les Sauvages, c'est pas de la charité. C'est du gaspille!

Il tourna les talons et quitta la salle en claquant la porte.

Dehors, le jour virait à la brunante. Maillard s'éloigna en longeant le moulin et, brusquement, se faufila dans la grange. Isabelle surgit de la pénombre, la poitrine dénudée, et vint se frotter contre lui comme une chatte en chaleur. Il la culbuta sans ménagement – et sans se douter que là-bas, dissimulé dans un recoin noir, le palefrenier Dieudonné se rinçait l'œil sans la moindre vergogne.

Marie-Loup rentra chez elle aux dernières lueurs du crépuscule. Maillard était assis devant une bouteille presque vide et se servait du tranchant d'une hache pour trier une poignée de pièces de monnaie. Il leva la tête, la bouche mauvaise :

— Tu m'as fait perdre le compte, sacrebleu! Comme ça, les Sauvages t'ont pas gardée? Faut croire qu'y sont moins bêtes qu'ils en ont l'air.

Il but une dernière rasade au goulot. Elle ignora sa remarque et montra l'argent étalé sur la table :

— Tout ça pour le verrat? C'est un bon prix.

— Sauf que tu vas m'en réclamer la moitié. Je devais être fin saoul quand j'ai signé ce maudit contrat.

— Tant qu'à moi, tu peux tout garder!

Il planta la hache dans la table avec violence, en dardant sur elle un regard enflammé. Elle se baissa pour ramasser des pièces tombées à terre :

— Xavier, tu bois trop, ça peut plus durer! Faut se quitter... On n'aurait jamais dû se marier. Je t'aime pas, je t'ai jamais aimé. Allons voir le curé, il comprendra.

Il se leva d'un bond et la gifla à pleine volée. Elle dut se retenir au buffet pour ne pas tomber. Il frappa encore, cette fois avec le poing.

— Arrête! cria-t-elle. Arrête, je te dis!

Elle saignait du nez et tenta de se défiler, mais il l'empoigna par les cheveux. Il n'avait pas l'intention d'en rester là.

Le curé de Preux se trouvait dans son église, occupé à allumer les cierges de l'autel. Il fit une génuflexion en passant devant le tabernacle. Les silhouettes de quelques commères agenouillées sur des prie-Dieu se devinaient dans la demi-obscurité.

Soudain, les vantaux de la porte centrale s'ouvrirent avec fracas et Marie-Loup entra comme une furie, le visage en sang et les yeux tuméfiés. Elle apostropha les dévotes qui s'étaient levées et la regardaient, abasourdies.

— Vous, les punaises, dehors! Allez, ouste!

Les vieilles reculèrent avec effroi, puis filèrent vers la sortie en longeant les murs. Hortense fut la dernière à s'en aller, non sans prendre au passage la statue de saint Joseph à témoin :

— Elle est possédée par le démon. C'est une succube!

Le curé se précipita vers Marie-Loup qui marchait sur lui, les poings fermés.

— Pour l'amour de Dieu, que se passe-t-il? Ma pauvre petite…

Il sortit un mouchoir pour lui essuyer le visage, mais elle écarta sa main avec brusquerie :

— Me touchez pas!

— Je t'en prie, calme-toi! C'est Maillard qui t'a fait ça?

— Ça vous étonne? Au moins, lui, il frappe pas dans le dos!

— Que veux-tu dire? Il est venu me voir tantôt, il te cherchait partout.

— Ça a tout l'air qu'il m'a trouvée…

Le prêtre dévisagea la jeune femme avec une alarme croissante et, baissant la voix :

— Il paraît que ça fait des mois que tu te refuses à lui.

— C'est vrai, il me dégoûte. Et il n'est pas le seul...

— Le devoir conjugal, c'est sacré. Si j'avais su, je ne t'aurais pas donné l'eucharistie. Communier en état de péché mortel, mon enfant, c'est risquer l'enfer...

— En voilà assez! D'abord je suis pas votre enfant. Et dites-moi : votre péché à vous, il est pas mortel peut-être? Je vous connais depuis toujours, c'est même vous qui m'avez baptisée. Et vous avez profité de mon ignorance, vous m'avez menti en pleine face – ici même, devant l'autel. Devant Dieu!

Le curé ouvrit la bouche pour se disculper, mais les mots lui firent défaut et il se laissa choir sur un banc, anéanti :

— Le Gardeur... il est donc revenu!

— Pourquoi vous avez fait ça? Pourquoi?!

— Mes intentions étaient bonnes, mais j'ai mal agi. Je n'aurais jamais dû... Je te demande pardon!

— Le pardon n'effacera jamais le mal que vous m'avez fait. À présent je veux me séparer d'avec Maillard, corps et biens. Vous devez m'aider.

— Hélas, je n'en ai pas le droit. Ce que Dieu a uni par le sacrement du mariage, l'homme ne peut le défaire. Pas même un prêtre! Il faut te résigner, Marie-Loup. Maillard a ses torts, mais c'est ton époux. Tu lui as juré obéissance et respect.

— Allez au diable, curé!

Hors d'elle, elle gagna la porte en courant et disparut dans la nuit.

Le curé voulut se lever, mais il retomba sans force. Il se laissa alors glisser de son siège pour s'agenouiller sur le plancher. Les yeux vides, il fit le signe de la croix et balbutia un début de prière. Il eut un trou de mémoire et, soudain, porta la main à sa bouche pour la mordre jusqu'au sang.

Dans la salle commune du moulin, Madeleine appliquait des compresses d'arnica sur le visage boursouflé de Marie-Loup, cependant que le père Carignan tournait comme un ours en cage :

— Attends que je lui règle son compte à cette brute ! Sacrebleu ! Là où je vais l'envoyer, son repas l'attendra pas sur la table.

Avisant la servante Isabelle qui feignait de s'activer près des fourneaux, il s'approcha et lui dit à voix basse :

— Toi, la catin, que je te reprenne à lui faire les yeux doux ! Se farcir une moricaude, faut pas être dégoûté.

Isabelle s'esquiva sans un mot, la mine basse.

Plus tard dans la soirée, Marie-Loup alla s'asseoir au chevet de France qui lisait un petit livre à la lueur d'une chandelle.

— Où t'as déniché ça ?

— C'est m'sieur le curé qui me l'a prêté. C'est des poèmes. Je comprends pas tout, mais c'est pas grave : rien que la moitié, ça me donne envie de m'envoler !

Elle leva la main et caressa la joue bleuie de sa mère :

— Ça fait mal ?

Marie-Loup fit signe qu'elle ne voulait pas en parler. Elle souffla la chandelle et se pencha vers la petite :

— Faut que je te dise un secret, un vrai. Il est revenu... Tu sais de qui je parle ?

— Lui ?!

— François, oui ! Il m'a demandé de partir avec lui... en t'emmenant avec nous si tu veux bien.

— Pourquoi il a dit ça ? C'est sûr que je veux bien !

— On le rejoindra demain au lever du jour. Dis rien à personne, pas même à grand-mère. Et prépare tes affaires : on ne reviendra pas de sitôt.

— Et le Xavier ? Il va essayer de nous empêcher ?

— François passera par les bois. On ira l'attendre près du pont.

France se blottit contre sa mère en se mordant les lèvres pour ne pas crier sa joie à tue-tête.

Elles ne se doutaient ni l'une ni l'autre qu'Isabelle était restée tapie dans l'obscurité près de la cloison et n'avait pas perdu un mot de leur conciliabule.

Sur la crête de la colline qui dominait le moulin Carignan, les silhouettes de deux cavaliers passèrent au galop sur la ligne d'horizon, dans les feux du soleil levant. Elles s'arrêtèrent à l'orée de la forêt.

— Je t'attends ici. Fais vite! dit Owashak en abénaquis. Rappelle-toi la prémonition de Matawa : tu ne t'es pas levé aujourd'hui sous une bonne étoile.

Le Gardeur lui fit un signe rassurant et s'engagea à vive allure dans le large sentier qui traversait le bois. Il chevauchait depuis quelques minutes lorsque sa monture trébucha sur une corde tendue au ras du sol. Il fit un vol plané dans les taillis.

En se relevant, étourdi, il aperçut Maillard et son acolyte Fowler qui arrivaient en courant. Se préparant au pire, il dégagea discrètement un poignard à lancer de l'étui de cuir attaché contre son avant-bras – une arme redoutable qui lui avait déjà sauvé la vie.

L'Anglais s'arrêta à quelques pas de lui, un pistolet à la main. Il leva le percuteur, mais il n'eut pas le temps de tirer et s'effondra, la gorge transpercée de part en part.

Maillard poussa un hurlement de rage et s'approcha, un solide bâton dans les mains.

— J'ai connu jadis un dénommé Xavier Maillard, dit Le Gardeur, essoufflé. Un gentilhomme qui se battait à armes égales…

— Beau parleur, comme toujours! Sauf que la Carignan, tu l'auras jamais, tu m'entends? Pis j'suis pas sûr que tu la voudrais encore, ta garce, vu la façon dont j'y ai arrangé le portrait!

L'expression de Le Gardeur se durcit. Il tourna la tête et siffla son cheval qui s'approcha en boitant. Mais Maillard n'entendait pas le laisser partir et fonça sur lui, le gourdin dressé. L'autre évita l'assaut avec souplesse, puis tournoya sur lui-même, la jambe levée : la pointe de sa botte ouvrit une entaille profonde au front de son assaillant et, d'un coup sec sur le bras, il lui fit lâcher son bâton.

La bagarre se poursuivit à mains nues. Maillard était plus costaud, mais le sang qui coulait de sa blessure l'aveuglait autant que sa fureur. Le Gardeur, plus agile, eut bientôt l'avantage et son adversaire, projeté contre un arbre, tomba à genoux, durement sonné. Il hésita à le mettre hors combat par une dernière savate, mais renonça avec un haussement d'épaules et se dirigea vers son cheval. Soudain, il poussa un hurlement de douleur : il avait posé le pied dans un des pièges du père Carignan, dissimulé sous le tapis de feuilles mortes. Il s'effondra, la jambe prise dans les terribles mâchoires de fer.

Surmontant sa douleur, il tenta de se redresser. Averti par son instinct, il tourna la tête mais ne put esquiver le coup de massue et s'effondra, assommé.

Maillard, écumant de rage, donna plusieurs coups de pieds dans le corps inerte de son rival :

— Comme t'es là, t'es rien que bon pour les loups. Une charogne !

À l'aube, Marie-Loup et France étaient sorties subrepticement par la porte arrière du moulin, chacune portant un baluchon, et avaient gravi en toute hâte le raidillon menant au petit pont qui enjambait le torrent. Elles avaient pris le sentier du bois pour n'être pas vues et attendaient là depuis une heure, en proie à une inquiétude croissante qu'elles s'efforçaient de se cacher l'une à l'autre.

Owashak comprit qu'un malheur était arrivé en voyant le cheval de Le Gardeur déboucher en boitant du sentier forestier. Il lui examina rapidement la jambe, puis partit en courant dans le bois. Il trouva bientôt la corde tendue en travers du chemin et sortit une flèche de son carquois. Puis, tendant son arc, il s'enfonça dans les fourrés. Comment s'y prenait-il pour avancer sans faire le moindre bruit?

Là-bas, entre les arbres, un éclair attira son attention. C'était la lame du poignard de Le Gardeur qui reflétait un rayon de soleil. Il passa sans s'arrêter près du cadavre de Fowler pour aller s'agenouiller devant le corps inerte de son ami. Il le retourna, regarda son visage exsangue, puis posa l'oreille contre sa poitrine pour écouter si son cœur battait encore.

Dans la salle commune de la ferme, Maillard prit une rasade de gnôle avant de se pencher vers le bout de miroir au-dessus de l'évier. Il examina sa blessure au haut du front et l'essuya avec une guenille. L'hémorragie avait cessé, mais des croûtes noires restaient collées dans ses cheveux. Il posa le linge ensanglanté sur le rebord de la fenêtre, puis coiffa un chapeau pour cacher sa blessure. Il se retourna vivement en apercevant une ombre sur le mur.

Marie-Loup était entrée sans bruit dans la maison et avait pris le fusil accroché au-dessus de la porte. Elle l'arma d'un geste sec :

— Sors, et vite! Si tu remets les pieds ici, je te tue.

Maillard obtempéra en grondant comme une bête féroce, mais il était encore assez lucide pour prendre la menace au sérieux.

Dehors, il fit quelques pas chancelants avant de se retourner, le visage déformé par une grimace de satisfaction mauvaise :

— Ton bel amant, tu le reverras jamais. Parole de cocu!

— Qu'est-ce que tu dis? balbutia Marie-Loup.

France surgit à l'instant de l'écurie et fonça sur Maillard pour lui donner une vive poussée des deux mains :

— Va-t'en! Va-t'en, t'es rien qu'un méchant!

Il perdit l'équilibre et tomba lourdement. Il se redressa, non sans mal, et leva le poing comme s'il s'apprêtait à frapper la fillette. Il suspendit son geste en jetant un coup d'œil à la gueule du fusil braqué sur lui et lança d'une voix rauque :

— Toi, la pisseuse, je te hais ! Et toi itou, la Marie-couche-toi-là ! Je vous hais toutes les deux pareil ! Vous allez me le payer…

Marie-Loup fit un pas en avant et la jointure de son index se mit à blanchir sur la gâchette du fusil. France la dévisagea avec effroi et dit d'une voix étranglée :

— Non, maman, non ! Fais pas ça !

Le lendemain, aux premières heures du jour, Mélodie vint cogner à la porte de la ferme. Pas de réponse. Elle frappa à nouveau, sans plus de succès, puis traversa la cour, vaguement inquiète. Elle se pencha par la porte entrebâillée de l'écurie :

— Marie-Loup ? C'est moi, Mélodie ! C'est au sujet de Colosse…

Elle était sur le point de rebrousser chemin quand elle vit passer un pourceau couvert de taches de sang sur le dos et les flancs. Alarmée, elle entra dans la bâtisse et poussa bientôt un grand cri d'horreur.

Le corps de Maillard était étendu sur le sol d'une stalle. Son visage disparaissait presque entièrement sous les caillots de sang qui avaient coulé d'une profonde blessure à la tête.

Le capitaine Quesnel avait porté l'uniforme de la milice canadienne avant d'endosser la tunique rouge des Anglais. Il ne payait pas de mine et ses grandes oreilles décollées lui donnaient un air un peu balourd, ce qui ne l'empêchait pas d'être doué d'une perspicacité peu commune. Il était venu au moulin pour rencontrer les époux Carignan et Marie-Loup, à laquelle il avait demandé si elle était bien la veuve de la victime.

— On se connaît depuis belle lurette, Rosaire Quesnel. Pourquoi vous me posez des questions quand vous connaissez les réponses ?

— C'est la procédure. Si je comprends bien, votre époux serait mort dans l'écurie. Avec des blessures à la tête... peut-être des coups de sabot. Vous n'étiez pas chez vous?

— Non. Hier, Maillard était saoul comme une bourrique... Vous voyez le résultat.

— Le résultat?

Elle montra son visage tuméfié :

— Vous croyez que ça vient d'où, ça?

— Il a levé la main sur vous?

— Il l'a pas seulement levée... Comme j'avais peur qu'il recommence, je suis venue dormir ici avec la petite.

Le père Carignan intervint avec irritation :

— Ça rime à quoi, ces questions à n'en plus finir? Faut pas chercher midi à quatorze heures, sacrebleu! Maillard est tombé et la jument a pris peur, un point c'est tout. Sûr, fallait qu'y soit sacrément bourré pour se laisser piétiner de même...

Le capitaine sortit de sa besace une guenille maculée de sang et de cheveux collés. Il la présenta à Marie-Loup :

— J'ai trouvé ça chez vous, sur le rebord de la fenêtre.

— Vous êtes pas gêné!

— Vous n'étiez pas là : j'ai pas pu vous demander la permission d'entrer.

Elle examina le linge et murmura, troublée :

— On dirait ses cheveux...

— Ça m'en a tout l'air. Sauf que si Maillard est mort dans l'écurie, qui a apporté ça dans la maison?

— J'aimerais bien savoir! dit-elle avec stupéfaction.

Quesnel se tourna vers Carignan :

— Si vous n'y voyez pas d'inconvénient, je vais faire transporter le corps ici... pour la veillée.

Le meunier hocha la tête, le regard fuyant.

Au début de l'après-midi, Marie-Loup partit en catimini dans les bois à la recherche de François, convaincue qu'il lui était arrivé malheur. Depuis la veille, les paroles de Maillard n'avaient cessé de la hanter : «Ton bel amant, tu le reverras jamais!» Elle n'avait pas fermé l'œil de la nuit, luttant contre la pensée affreuse que Le Gardeur avait été blessé et agonisait dans la nuit, loin de tout secours. Et comment aurait-elle pu le trouver, quand une battue de quinze volontaires aurait à peine suffi pour couvrir la forêt? Elle revint finalement au moulin, la mort dans l'âme.

Le corps de Maillard était allongé sur une planche et des tréteaux installés dans l'entrepôt, entre des montagnes de sacs de farine. Un morceau de tissu noir entourait sa tête pour cacher sa blessure. Les gens du voisinage venaient s'agenouiller près du corps, récitaient une prière et retournaient dans la salle commune; un buffet modeste y avait été dressé et on ne se gênait pas pour y faire honneur. Le meunier Carignan se tenait à l'écart et son air malcommode n'invitait pas la compagnie. Quant à la servante Isabelle qui reniflait dans son coin, elle était bien la seule ici à verser des larmes.

L'absence de Marie-Loup n'était pas passée inaperçue; son retour dans la salle fut accueilli par des regards en coin et des chuchotements. On s'approcha pour lui offrir des condoléances du bout des lèvres et des accolades sans chaleur. Le curé de Preux venait d'arriver et la dévisageait à distance, attendant qu'elle lui fît signe d'avancer. Il craignait sans doute qu'elle ne fît un esclandre – elle en aurait été bien capable. Elle répondit à son interrogation muette en lui tournant le dos et en allant retrouver sa mère près des fourneaux.

— Et France?

— M'en parle pas, c'est trop injuste! dit Madeleine à voix basse. Tantôt, dans la cour, des galopins lui ont jeté des pierres en lui criant des horreurs.

— Des horreurs comme quoi? Qu'elle est la fille d'une sorcière et que je l'ai eue en couchant avec le diable?

— Tais-toi! Oui, des folies comme ça, toujours les mêmes. Les gens sont si méchants! Elle est allée se cacher en haut, dans le grenier du moulin.

— J'y vais! dit Marie-Loup en serrant les poings.

— Faut faire de quoi, parce que ça fait rien que commencer. Elle tiendra pas le coup.

— Je m'en occupe que j'te dis...

Elle traversa la salle en direction de l'escalier, mais bifurqua en apercevant le forgeron Colosse qui venait d'arriver. Elle lui fit signe de la rejoindre à l'écart :

— Peux-tu me rendre un service? C'est important.

— Même si c'était pas important, t'as qu'à demander.

— Va chercher ma tante Marthe à l'hospice. La religieuse, tu sais : tu l'as vue à mon mariage. J'ai besoin d'elle. Dis-lui que c'est urgent. Tu te souviendras?

Le géant posa son index sur son front :

— T'inquiète pas, j'ai tout ça là. Pis comme c'est toi, je peux pas oublier.

Il sortit et s'éloigna dans la cour en gardant son doigt collé contre son front, sans doute par surplus de précautions.

Marie-Loup s'immobilisa sur le seuil de l'entrepôt, hésitant à aller plus avant. Le capitaine Quesnel lui tournait le dos et examinait le corps de Maillard avec une attention méticuleuse. Il n'y avait personne d'autre dans la place – sans doute avait-il demandé aux visiteurs de le laisser en tête-à-tête avec le mort.

— Entrez, madame! dit-il sans se retourner.

Elle avança de quelques pas, sur le qui-vive. Comment avait-il su qu'elle se trouvait là? Surmontant sa nausée, elle l'observa alors qu'il soulevait l'étoffe noire et se penchait pour étudier la tête ensanglantée de Maillard. Il sortit une paire de petits ciseaux de sa tunique et coupa une mèche de cheveux qu'il mit dans une fiole en verre.

— Vous auriez pu demander, dit-elle. Je suppose que vous allez me répondre que c'est la procédure...

Il lui fit face en hochant la tête. Elle tressaillit en voyant dans ses yeux un mélange de compassion et de chagrin qui la plongea dans une angoisse sourde. Qu'avait-il découvert, au juste?

— Excusez-moi, dit-il, mais vous n'auriez pas vu le sergent Fowler, par hasard?

— Non et je ne m'en plains pas! Pourquoi?

— Des témoins l'ont aperçu hier en compagnie de feu votre mari. Depuis, il est introuvable...

— C'est un ivrogne, lui aussi. Il est sûrement en train de cuver son vin quelque part.

— Il a peut-être passé la nuit à boire avec la victime. En tel cas, son témoignage est capital.

— Eh bien, trouvez-le!

— Je m'y applique, Marie-Loup. Avec diligence.

Elle le salua et se dirigea vers l'escalier menant à l'étage où France s'était réfugiée. En gravissant les marches, elle sentit peser le regard de Quesnel sur sa nuque. Pourquoi l'avait-il appelée par son prénom, après lui avoir donné du madame long comme le bras? Dommage qu'il ne fût pas aussi obtus que ses oreilles décollées le lui avaient laissé croire au premier abord...

Le soleil couchant étirait les ombres sur le village d'Odanak. Couché devant le wigwam du chaman, le chien Miskou poussait de temps à autre un petit gémissement plaintif, se levait pour marcher de long en large, les oreilles dressées, puis reprenait sa place dans une torpeur trompeuse.

Le Gardeur reposait entre la vie et la mort à l'intérieur de la tente, la jambe immobilisée dans une attelle faite de branches taillées retenues par des lanières de cuir. Il grelottait de fièvre et, dans son délire, balbutiait des propos incompréhensibles où le nom de Marie-Loup revenait sans cesse. Assise à son chevet, la vieille Matawa psalmodiait des incantations et soufflait vers lui les vapeurs dégagées par les plantes séchées qu'elle jetait sur des braises dans un petit pot de terre cuite.

Owashak entra sans bruit et l'interrogea du regard. Elle secoua la tête en soupirant, refusant de se prononcer.

Marie-Loup s'était postée près de la fenêtre du grenier et regardait avec inquiétude les curieux qui s'étaient joints aux gens du proche voisinage et commèraient dans la cour à voix basse. Elle s'anima soudain en voyant le cabriolet de Colosse déboucher au tournant du chemin dans la lumière du crépuscule. La silhouette de mère Marthe-de-la-Passion paraissait minuscule à côté de celle du forgeron.

Quelques instants plus tard, tenant France par la main, Marie-Loup sortit du moulin et s'avança d'un pas ferme, ignorant les regards obliques, les murmures et les ricanements étouffés qui fusaient çà et là. La fillette serrait un maigre baluchon contre elle et gardait les yeux rivés à terre. Les gens s'écartèrent comme à contrecœur pour les laisser passer. La vieille Hortense était là, une main sur ses lèvres minces comme si elle voulait contenir son émotion, alors qu'en réalité elle cachait un rictus de contentement.

Marie-Loup aida sa fille à monter dans la voiture, puis grimpa sur le marchepied pour embrasser sa parente.

— Ma belle âme vaillante! murmura la religieuse en lui prenant le visage à deux mains. Pourquoi n'as-tu pas droit au bonheur comme tout le monde?

— J'ai besoin de votre aide, ma tante. Pas pour moi : pour la petite. Elle est à bout! Alors j'ai pensé que vous pourriez...

— Je m'en occupe, sois tranquille. À présent, c'est à toi qu'il faut penser.

Elle promena un regard chagriné sur la petite foule et ajouta :

— Il y a des prières pour guérir la méchanceté, mais je n'en connais pas pour combattre la sottise...

— Ils s'acharnent contre moi comme si j'étais une étrangère. Pourtant je suis comme eux!

— Oh non, mon enfant! Tu es d'une autre souche... Mais il nous faut partir si nous voulons arriver au couvent avant la tombée de la nuit.

Marie-Loup remercia Colosse du regard, puis caressa la joue de France qui la regardait d'un air hébété. Elle lui glissa dans la main un morceau de gâteau aux amandes enveloppé dans un mouchoir, puis la serra contre elle en lui disant à l'oreille :

— Une petite gâterie, rien que pour toi...

Elle mit pied à terre, la mort dans l'âme. Déjà le cabriolet s'éloignait. Elle ferma les yeux, puis les rouvrit pour échanger un dernier regard avec France qui s'était retournée. Elle eut envie de lui crier : «Ce sera pas long!», mais les mots lui restèrent dans la gorge, alors qu'elle luttait avec épouvante contre le pressentiment que ce départ était un adieu.

CHAPITRE 17

Se refusant à dormir dans la maison où reposait le corps de Maillard, Marie-Loup avait passé la nuit seule chez elle. Dévorée d'inquiétude pour François, elle n'avait pas fermé l'œil avant les petites heures du matin. Des bruits de carriole dans la cour l'avaient tirée de son lit au lever du soleil et elle aperçut deux attelages et un détachement de militaires devant la grange. Elle sortit à la hâte et courut au moulin, pressentant le pire.

Elle trouva sa mère en larmes, alors que deux soldats étaient occupés à lier les poignets du meunier Carignan.

— Ils l'accusent d'avoir tué ton mari, balbutia Madeleine entre deux sanglots. C'est pas vrai, il est rien qu'innocent. Mais toi, enfin, dis quelque chose !

Le major Rooke et le capitaine Quesnel s'étaient retournés à l'arrivée de Marie-Loup. Au fond de la salle, la servante Isabelle et le palefrenier Dieudonné observaient la scène avec des yeux ronds.

— Vous avez pas le droit de l'accuser ! C'est un accident.

Le major la toisa froidement :

— *Are you Marie Carignan, widow of Xavier Maillard ?*

— Le jour des noces, vous parliez français, non ?

— *You are accused of complicity in the murder of your late husband.*

Elle se tourna vers Quesnel :

— C'est insensé, faites-lui entendre raison! C'est pas parce que vous portez leur uniforme que vous n'êtes plus des nôtres...

Pour toute réponse, le capitaine fit un signe à ses hommes qui empoignèrent Marie-Loup sans ménagement. Elle résista avec vigueur, mais en voyant sa mère s'affaler sur le banc d'entrée en proie à un malaise, elle cessa de se débattre et se laissa attacher.

Le salon du vicaire général Briand à Québec ne donnait pas dans l'austérité, encore moins dans la retenue. Quinquagénaire soigné aux manières aristocratiques et au verbe fleuri, le prélat se pencha pour faire son choix parmi une variété de canapés et petits fours, artistiquement disposés sur un plateau d'argent. Il avança la main, la retira, l'avança à nouveau : la décision était difficile et exigeait soin et réflexion. Son autre main était abandonnée aux soins d'un jeune novice qui lui prodiguait un service complet de manucure, agenouillé au pied de l'imposant fauteuil épiscopal. Il dit en soupirant :

— Notre neveu Xavier n'a pas toujours mené une vie exemplaire, nous en convenons. Mais il ne méritait certes pas une fin aussi... ignominieuse.

Le révérend Augustin-Louis de Glapion, supérieur général de la Compagnie de Jésus, refusa les friandises qui lui étaient offertes et répondit avec une mansuétude doucereuse :

— Qui d'entre nous n'a commis quelques frasques de jeunesse? J'ai pris langue avec le gouverneur Murray... L'affaire sera instruite par l'autorité militaire en raison de la loi martiale en vigueur présentement. On m'a assuré que le procès sera mené avec diligence et que les coupables connaîtront un châtiment à la mesure de leur méfait.

— *Les* coupables, dites-vous? fit le chanoine en se rembrunissant. Votre recours au pluriel n'est-il pas quelque peu hâtif? Nous serions surpris que le meunier Carignan ait trempé dans cette intrigue. Sous l'ancien régime, il fut un intermédiaire très engagé. Plusieurs notables et d'éminents négociants de la ville s'inquiètent de sa comparution en cour. Dans la turbulence, le pauvre homme pourrait faire des déclarations irréfléchies sur des événements passés, sans rapport avec le décès de son gendre. Il ne faudrait surtout pas qu'un scandale mette en péril la nouvelle alliance entre l'Église et le trône d'Angleterre...

— ... et du même coup la sauvegarde de notre foi et de notre langue...

— ... sans parler de celle de nos terres!

De Glapion dodelina de la tête d'un air pénétré et enchaîna comme à regret :

— J'hésitais à vous importuner avec ces trivialités, mais des bruits courent sur l'influence perverse – certains disent démoniaque – que la fille Carignan exercerait sur son père.

— Ces rumeurs sont parvenues à nos oreilles, en effet. Il semblerait que nombre de paroissiens vivent dans la crainte de cette créature. Nul doute qu'ils accueilleront avec soulagement un verdict approprié.

Cette perspective sembla plonger les deux prêtres dans une profonde commisération pour le sort de la pécheresse. Le jésuite se consola en acceptant finalement de prendre un petit feuilleté à la crème, et ajouta à son plaisir en ignorant le pathétique regard de gourmandise du jeune novice en direction du plateau.

Le Gardeur cheminait à cheval le long de la rivière en compagnie d'Owashak. Deux semaines avaient passé depuis son accident et il portait encore une attelle à la jambe. Il s'efforçait de ne pas laisser paraître l'effort que lui coûtait cette chevauchée – à l'évidence, il n'était pas complètement rétabli de ses blessures : il avait le souffle court et transpirait abondamment. Son compagnon l'observait à la dérobée d'un regard sombre et finit par dire, en abénaquis :

— Tu es encore faible. Ne veux-tu pas attendre encore quelques jours? Tu ne peux rien pour elle, sinon ajouter à son malheur en te faisant prendre.

— Je n'ai pas le choix. Tu as entendu Matawa : le procès est déjà en cours. Il n'y a pas de temps à perdre.

Les deux cavaliers s'arrêtèrent sur une butte, à une croisée de chemins. Ils échangèrent une solide poignée de mains.

— Tu es mon frère, dit Owashak. Et parce que tu es mon frère, je m'inquiète pour toi. Je sais que tu ne renonceras pas. Mais je t'en conjure, redouble de prudence! N'écoute pas d'autre voix que celle de ton âme.

— La voix de mon âme est en prison, Owashak.

Le Gardeur échangea un regard intense avec son ami, puis donna une tape sur l'encolure de son cheval et partit au trot sans se retourner.

Le tribunal militaire tenait ses audiences dans le grand réfectoire du couvent des ursulines, aménagé pour la circonstance. Le lieutenant-colonel Morris présidait derrière une table ronde, avec des livres de loi, une bible et le traditionnel maillet de bois à portée de la main. À sa droite, le long du mur, les douze officiers membres du jury étaient assis en uniforme sur une double rangée de bancs. Un interprète leur traduisait les débats en anglais – mesure sans grande utilité pour la plupart d'entre eux qui étaient issus de la noblesse et parlaient couramment la langue de Molière. Un peu à l'écart, le procureur de la Couronne et l'avocat des accusés partageaient un même pupitre.

Il faisait une chaleur étouffante. Dans la salle bondée, des femmes agitaient leur éventail d'un mouvement rapide et incessant qui créait l'illusion d'une vague ondulante déferlant sur l'assemblée.

La mezzanine qui surplombait le réfectoire était réservée aux notables de la ville, aux dirigeants militaires et aux membres du haut clergé. Tout ce beau monde assistait à l'audience comme à un spectacle, en trempant des biscottes dans des coupes de vin blanc.

Les sièges des deux accusés faisaient face au président du tribunal. Marie-Loup se tenait le buste droit, l'air distant, évitant de tourner la tête vers la salle comme si elle avait décidé d'ignorer tous ces gens qui étaient venus assister à son procès pour satisfaire une curiosité morbide. Pour sa part, le meunier Carignan rongeait son frein, le regard obstinément à terre. Un garde se tenait debout entre eux pour les empêcher de se parler.

La servante Isabelle était à la barre des témoins et n'aurait cédé sa place pour rien au monde. Elle affirma, en réponse à une question du procureur de la Couronne :

— Je les ai vus quitter le moulin juste après le lever du soleil.

— Qui avez-vous vu ?

— Lui, avec elle ! dit-elle en désignant les accusés. Même qu'ils se dépêchaient pour pas qu'on les voie.

— Vous avez donc vu Joseph Carignan et sa fille qui se dirigeraient vers l'écurie. Ensuite ?

— Je les ai vus revenir pas longtemps après qu'ils ont fait leur sale coup.

L'avocat Saillant se leva, comme mû par un ressort :

— Objection, votre Honneur ! Le témoin n'a pas vu les accusés commettre ce qu'elle appelle un « sale coup ».

— L'objection est acceptée, dit le juge Morris. Que le jury prenne note de ne pas tenir compte de cette remarque du témoin.

Le procureur reprit l'interrogatoire :

— Mademoiselle Toussaint, pouvez-vous rapporter des faits démontrant que les accusés avaient l'intention de causer du tort à la victime ?

— C'est pas rien que du tort qu'y voulaient lui faire, c'est lui crever la peau! Le jour d'avant, la Marie-Loup est venue se plaindre que son mari l'avait battue. M'sieur Carignan, y est devenu fou furieux contre son gendre. Même qu'y a dit qu'allait lui régler son compte. J'étais là, j'ai tout entendu de mes propres yeux!

Des rires fusèrent dans la salle.

Plus tard, ce fut au tour de l'avocat Saillant d'interroger la servante :

— Parlez-nous de la nature de vos rapports avec la victime…

— Qu'est-ce que vous voulez savoir? On avait des bons rapports, comme du bon monde, quoi!

— Je parle de rapports intimes. Dans sa déposition, le palefrenier Dieudonné a déclaré qu'il vous avait vue – je le cite dans ses termes – «faire la bête à deux dos» dans la grange avec Xavier Maillard.

— J'y ai fait pour rendre service. Y croyait qu'y était plus capable, à cause que la sorcière lui avait jeté un sort dans ses culottes!

Il y eut des remous dans la salle.

— La sorcière? Quelle sorcière?

Isabelle montra Marie-Loup :

— Là, c'est elle, la maudite! Aaah! C'est comme ça qu'a s'y prend! Elle nous regarde avec son blanc des yeux…

Elle se détourna en se protégeant la tête à deux mains pour conjurer les pouvoirs maléfiques de l'accusée et s'écria d'une voix qui montait à l'aigu :

— Non, non, elle va m'faire bouillir les sangs! Faut l'empêcher!

La mulâtresse essaya d'ajouter quelque chose, mais elle ne fit qu'émettre des gargouillis rauques et s'affaissa, la bouche grande ouverte comme si elle manquait d'air. Ses yeux se révulsèrent et elle fut saisie de convulsions.

Sa crise d'hystérie provoqua un grand émoi dans la salle. Les coups de maillet du juge Morris ne parvinrent pas à apaiser le brouhaha.

Marie-Loup était seule dans une petite cellule du cloître, occupée à écrire une lettre en s'appliquant comme une écolière. Sa calligraphie était laborieuse, mais soignée et lisible. Son abécédaire était ouvert sur la tablette qui lui servait d'écritoire.

Un verrou fut tiré et Antoine Saillant entra. Il vint se planter devant elle, les mains dans le dos, l'air emprunté. Elle mit un point final à son billet, éventa le papier pour faire sécher l'encre, puis le plia en quatre :

— Soyez bon, monsieur! Remettez ce mot à la supérieure de l'hospice, mère Marthe-de-la-Passion.

Il considéra la lettre avec réticence, se demandant visiblement de quoi il retournait.

— C'est un mot pour ma fille, reprit-elle d'une voix pressante. Personne ne sait qu'elle se trouve là-bas. C'est une enfant très sensible. Il faut absolument la tenir à l'écart de toutes ces horreurs… Je vous en prie !

Il hocha la tête et glissa le billet dans sa poche. Elle le regarda droit dans les yeux :

— Vous aussi vous croyez que je l'ai tué…

— Mon opinion est sans importance. Si votre père plaide coupable, je me fais fort de vous tirer d'affaire tous les deux. Je bâtis ma défense sur l'amour paternel pour démontrer que Joseph Carignan a accompli son devoir en protégeant sa fille contre un ivrogne invétéré et violent. Seulement voilà : votre père refuse de collaborer. Moi-même, je n'ai pas été capable de lui soutirer trois mots de suite. Mais vous, vous le connaissez : aidez-moi à lui faire entendre raison.

Elle le toisa, froide et distante :

— C'est quoi lui faire entendre raison? Moins il en dira, mieux ça vaudra! Moi je veux seulement qu'il continue à faire la bourrique…

L'avocat soupira, découragé :

— Je ne vous comprends pas.

— Tant mieux! murmura-t-elle.

Dans le grand parloir du couvent, à quelques portes de la cellule où se trouvait Marie-Loup, le révérend père de Glapion était agenouillé sur un prie-Dieu au pied d'un grand crucifix.

Soudain, la porte s'ouvrit sur Joseph Carignan, escorté de deux soldats qui le poussèrent dans la pièce et se retirèrent aussitôt, sans dire un mot. Glapion attendit que la mise en scène de sa dévotion eût produit son effet avant de se redresser en se signant avec lenteur. Puis il s'approcha du meunier et lui mit la main sur l'épaule, le regard empreint d'amitié et de mansuétude :

— Puis-je vous parler à cœur ouvert, mon fils? Je ne suis pas un juge ni un avocat, mais un prêtre. Une seule chose m'importe ici-bas : le salut des âmes.

—Y peuvent dire c'qu'y veulent, j'ai toujours été un bon chrétien!

— Je n'en doute pas. Le curé de Preux n'a que des éloges à votre sujet. À vrai dire, en parlant de salut, je ne pensais pas au vôtre mais à celui de votre malheureux gendre... A-t-il eu le temps de faire un acte de contrition avant de mourir?

— Comment que je saurais? J'étais pas là.

— Un *confiteor* peut faire la différence entre le purgatoire et l'enfer. D'après votre fille, M. Maillard aurait murmuré quelques mots avant de rendre l'âme...

— Elle a dit ça?

— Il a peut-être parlé au bon Dieu, pour implorer son pardon...

— Peut-être, oui. Si elle le dit...

— Vous ne pouvez pas savoir, vous n'étiez pas présent. Et vous ne voulez certes pas aller en enfer à la place de votre gendre.

— Ben non! Pourquoi j'irais en enfer? J'ai rien fait!

Un éclair de satisfaction rusée passa dans les yeux du père de Glapion. Il prit Carignan par le bras et l'amena devant le crucifix.

— Venez, mon fils! Poursuivons cette discussion avec Celui qui voit tout, qui est prêt à tout entendre et dont la miséricorde est infinie.

Il l'invita à s'agenouiller sur le prie-Dieu. Lui-même se mit à genoux à même le plancher – petite mortification pour une noble fin.

À l'hospice de la Miséricorde, mère Marthe-de-la-Passion trouva France dans sa chambre, plongée dans la lecture d'un recueil de poèmes. Elle l'observa un moment d'un regard empreint de bonté et de chagrin, avant de lui révéler sa présence :

— Te voilà bien accaparée, mon enfant. Un livre de prières, je présume?

— Oui, ma tante.

La religieuse retint un sourire :

— Récite-m'en une, pour voir…

La fillette feuilleta l'ouvrage et s'arrêta sur une page marquée d'un signet. Elle prit une inspiration et lut lentement, en suivant chaque mot du doigt :

Elle était de ce monde où les plus belles choses
Ont le pire destin.
Et, rose, elle a vécu ce que vivent les roses,
L'espace d'un matin.

D'une voix enrouée, Marthe-de-la-Passion fit observer que ce n'était pas vraiment une prière.

— Mais si, ma tante! Quand il entend ça, le bon Dieu, ça le fait réfléchir.

— Il n'est pas le seul…

Elle remit à France la lettre de Marie-Loup et quitta la chambre en coup de vent pour ne pas laisser paraître son émotion.

La petite déplia le billet et lut en remuant silencieusement les lèvres : «Tien bon ma chairi ta maman qui taime.»

Au couvent des ursulines, dans la salle d'audience du tribunal, le capitaine Quesnel finissait de donner son témoignage. Il était tête nue et ses oreilles paraissaient encore plus décollées qu'à l'ordinaire. Il tenait dans une main le fameux linge maculé de sang et, dans l'autre, la fiole contenant une mèche des cheveux du mort. Le procureur de la Couronne lui posa une dernière question :

— Les accusés ont prétendu que la victime aurait été blessée par les ruades de son cheval.

Le capitaine réfléchit avant de répondre d'une voix posée :

— Ce n'est pas impossible, mais c'est très improbable. À mon avis, la blessure fatale a été causée par un instrument tranchant. Une hache, par exemple…

En fin d'après-midi, ce fut au tour de Joseph Carignan de comparaître à la barre. Était-ce une impression ? Il semblait éviter le regard de sa fille Marie-Loup. Et celle-ci, pour la première fois depuis le début du procès, manifestait un semblant d'inquiétude.

— On vous entend mal, dit le juge Morris. Parlez plus fort !

Le meunier tourna la tête vers l'auditoire. Au premier rang de la mezzanine, il aperçut le révérend de Glapion qui lui adressait un imperceptible signe d'encouragement. Il reprit alors d'une voix affermie :

— Elle est venue me réveiller à l'aube pour dire qu'y avait eu un malheur. Elle voulait que j'vienne voir.

Le procureur fit celui qui n'était pas certain d'avoir bien compris :

— Votre fille vous a demandé de l'accompagner chez elle. Est-ce bien exact ?

— C'est ça que j'ai dit, oui. On est allés voir Maillard dans l'écurie… Il était mort pour sûr, mais pas encore froid.

— Qu'avez-vous fait ensuite ?

— On est rentrés au moulin. La Marie-Loup, elle avait peur qu'on l'accuse de l'avoir tué. Alors elle m'a demandé de dire…

La fin de la phrase se perdit dans un marmonnement incompréhensible.

— Comment? dit le juge. Je vous le demande une dernière fois : parlez plus fort!

— Elle voulait que je dise à tout le monde qu'elle avait passé la nuit chez nous.

Le procureur de la Couronne haussa la voix pour couvrir les remous que la déclaration du meunier avait provoqués dans la salle :

— Joseph Carignan, vous avez prêté serment sur les Saintes Écritures. Répondez sans détour : votre fille vous a-t-elle laissé entendre qu'elle était responsable de la mort de son mari?

— Je peux pas dire. J'y ai demandé comme ça : «Qu'est-ce qui s'est passé pour de vrai?» Elle m'a dit : «Il est arrivé ce qui devait arriver... Il a eu ce qu'il méritait!»

Marie-Loup baissa la tête. Le procureur se tourna vivement vers le président du tribunal :

— Dans les circonstances, il m'apparaît évident que l'accusation portée contre le sieur Joseph Antoine Carignan n'a plus sa raison d'être et qu'elle devrait conséquemment être retirée.

Le lieutenant-colonel Morris déclara avec autorité :

— La Cour reconnaît le bien-fondé de la requête et ordonne la remise en liberté immédiate du prévenu.

Des applaudissements éclatèrent dans l'auditoire, ponctués par les coups de maillet du juge.

La maison d'Angélique de Roquebrune avait été rénovée et il ne restait plus trace des dégâts causés par les bombardements aux derniers jours de la Nouvelle-France. François Le Gardeur attendait debout dans le vestibule d'entrée. Par le jeu d'un miroir, il pouvait entrevoir ce qui se passait dans la pièce voisine. Des officiers et des hommes d'affaires britanniques avaient remplacé les militaires français et les bourgeois de l'ancienne colonie, mais rien n'avait changé quant au reste : les conversations animées, le jeu, la boisson, le tabac.

Le laquais qui avait accueilli avec réticence le singulier visiteur était de retour, suivi de la belle Angélique qui s'immobilisa sur le seuil du vestibule et dévisagea Le Gardeur avec une stupeur incrédule qui se changea vite en alarme. Elle l'entraîna vivement dans le petit boudoir et ferma la porte :

— Toi?! Mais pour l'amour de Dieu, que t'est-il arrivé? Je te croyais mort et enterré. À voir ton allure et ta mine, tu ne vaux guère mieux. Mon pauvre François...

— Ne crains rien, je ne suis pas venu t'importuner. La vérité est que je ne connais plus personne à Québec – à tout le moins, personne à part toi à qui je puisse faire confiance. Veux-tu m'aider?

— Vouloir n'est pas pouvoir. Cela dépend de ton entreprise.

— Il faut que je parle au juge Morris.

Le visage de la courtisane s'éclaira :

— Tu viens pour le procès... Oh non, ne me dis pas que tu t'intéresses encore à cette fille! Mais enfin, c'est de l'histoire ancienne.

— Pas pour moi.

— Tu l'aimes encore?

— Je l'aime toujours, oui.

Elle le considéra d'un regard appuyé, puis poussa un soupir :

— Dommage... As-tu demandé une audience au juge?

— Regarde-moi : crois-tu qu'il me recevrait? Même ton laquais regimbait à me laisser entrer. Il me faut une intermédiaire...

— N'y pense même pas! Au temps de Bigot, je ne dis pas, j'avais de l'influence... Mais aujourd'hui je ne suis qu'un faire-valoir pour la vanité de ces messieurs... une jolie potiche parisienne.

Il eut un étourdissement et dut se retenir au chambranle de la porte :

— Excuse-moi... Je ne suis pas bien vaillant.

Elle le dévisagea avec compassion et leva la main pour lui effleurer la joue – un geste sans équivoque, affectueux et compatissant :

— Je connais quelqu'un qui a ses entrées au tribunal. Augustin de Glapion, le supérieur des jésuites... Ne fais pas la moue, c'est mieux que rien. Et puis j'ai eu jadis quelques bontés à son endroit, en toute discrétion. La robe ne fait pas le moine ! D'ailleurs, parlant d'habit, il nous faut voir à ton vestiaire au plus urgent... Tu l'ignores sans doute, mais le meunier Carignan a été libéré tantôt, après avoir dénoncé sa fille. Il ne te reste pas grand temps pour agir...

Le révérend de Glapion et Le Gardeur déambulaient de compagnie dans une allée des jardins du collège de Québec. Contrairement à la veille, le jeune homme était rasé de frais et portait des vêtements de bonne coupe. Sa claudication restait encore très prononcée.

— Allons là-bas, suggéra le prêtre, nous serons plus à l'aise pour parler. Le lieutenant-colonel Morris est très pris en ce moment – rien pour nous étonner. Aussi me faut-il en savoir davantage sur la nature de votre requête...

Du geste, il invita son compagnon à prendre place sur un banc près d'une fontaine.

— Je désire être cité au procès. J'ai des révélations capitales à faire sur la mort de Xavier Maillard. Mon témoignage est de nature à innocenter l'accusée.

— Ai-je bien entendu ? Vous faites là une affirmation grave qui tire à conséquence. Possédez-vous des preuves pour l'étayer ?

— Plus qu'il n'en faut. Le meunier Carignan a été acquitté en échange de son silence sur l'implication de certains hauts personnages dans les manigances de l'ancien régime. Le tribunal se prépare à condamner sa fille pour donner au peuple l'illusion que justice a été rendue.

Le jésuite fit mine de se plonger dans une profonde réflexion, comme s'il soupesait chacune des paroles qu'il venait d'entendre. Il dit enfin :

— Puis-je vous parler en toute confidence ? Le juge Morris est un homme pointilleux. Accordera-t-il à votre témoignage de dernière minute toute l'attention qu'il mérite ? Je n'en suis pas sûr. En revanche...

— ... en revanche ?

— Nous pourrions viser plus haut. Le gouverneur Murray a toujours entretenu des doutes sur la culpabilité de l'accusée. Toute cette affaire lui déplaît royalement. Et il se trouve que nous sommes en bons termes.

— Dois-je comprendre que vous pourriez...

— Je ne promets rien... si ce n'est de faire l'impossible.

— Au nom du ciel et au mien, merci ! Merci du fond du cœur !

Glapion leva la main pour protester d'une voix onctueuse :

— Qui est au service de Dieu est au service de la Justice...

Le gouverneur James Murray prenait le thé dans le petit salon contigu à la salle du procès que les ursulines avaient mis pour quelque temps à la disposition des autorités militaires du pays. Son secrétaire civil et ami Hector Cramahé – un défenseur ardent et éclairé de la cause des Canadiens – l'avait entrepris avec sa franchise habituelle :

— Nous en sommes à résoudre la quadrature du cercle : satisfaire à la fois une armée conquérante, un peuple conquis et une coterie de marchands rapaces et fanatiques. Quant à ces derniers, James, je commence à les avoir dans le nez ! Ils traitent nos soldats comme des mercenaires et les Canadiens comme des esclaves de naissance.

— Il faut pourtant trouver le moyen de composer avec les uns et les autres. Notre principal défi n'est plus militaire, il est économique. Et nos canons ne nous sont d'aucun secours pour le relever. La vérité est que la misère règne sur ce territoire que nous avons si chèrement payé...

Murray s'interrompit pour sortir d'un guéridon une épaisse liasse de billets de banque, puis reprit :

— En premier lieu, nous devons dénouer la crise monétaire. En son temps, l'intendant Bigot a autorisé des émissions de papier-monnaie qui dépassaient largement les besoins du pays.

— Une manœuvre habile pour qui veut remplir les poches de ses amis... et les siennes! Nous devrions en prendre de la graine.

— Ce cynisme ne vous sied pas, cher ami. Il n'en demeure pas moins que les Canadiens attendent avec anxiété la décision de Paris de leur rembourser leur argent. J'envie leur optimisme! Et même si la France honorait ses engagements, les spéculateurs de Londres s'arrangeront pour rafler les bénéfices. De la monnaie de singe, vous dis-je!

Il jeta avec mépris la liasse de billets dans l'âtre de la cheminée.

Leur discussion fut interrompue par une rumeur montant de la rue. Ils s'approchèrent de la fenêtre et observèrent l'arrivée d'un cortège de manifestants qui réclamaient à grands cris la condamnation de la «sorcière». Cramahé secoua la tête d'un air attristé :

— Depuis mon arrivée à Québec, je n'entends parler que de ce fameux procès. Décidément, je ne comprends pas ces gens! Cette Marie Carignan est une des leurs : même origine, même langue, même religion... Pourquoi ne prennent-ils pas sa défense au lieu de s'acharner contre elle?

— Je l'ignore, répondit Murray avec un mouvement de contrariété. Et ma foi, s'ils veulent la tête d'une sorcière, ils l'auront! On ne nous accusera pas de passer outre la volonté du peuple.

Cramahé lui lança un coup d'œil surpris :

— Cette accusation de sorcellerie ne me dit rien qui vaille. Ce ne serait pas la première fois que le diable prend la soutane, n'est-il pas vrai? Vous connaissez le proverbe français : «Quand on veut se défaire de son chien, on l'accuse de la rage.»

— En voilà assez! La Carignan n'a pas été condamnée pour avoir pratiqué la sorcellerie, mais pour avoir tué son mari. N'ajoutez pas à la confusion, voulez-vous?

— Ce qui me rend confus, c'est d'entendre parler de condamnation alors que le verdict n'est pas encore prononcé. Mais je m'arrête là, car j'observe que toute cette affaire vous met de fort méchante humeur...

Le gouverneur toisa son secrétaire et, comprenant que toute réplique ne ferait que lui donner raison, il sortit par la petite porte latérale qui lui donnait un accès direct à son bureau.

Le Gardeur et le révérend de Glapion attendaient debout depuis plus d'une heure lorsque James Murray apparut sur le seuil de l'antichambre. Il fit signe au jeune homme d'entrer, puis leva la main pour dissuader le jésuite de le suivre :

— Ne vous en déplaise, je recevrai ce gentil-homme en tête-à-tête.

Glapion s'inclina, bon prince – et, de fait, secrètement soulagé de n'avoir pas à être témoin de ce qui allait suivre.

En refermant les battants de la porte, Murray révéla la présence de deux soldats qui s'avancèrent aussitôt pour encadrer le visiteur.

— Prudence est mère de toutes les vertus, mon jeune ami. Mon temps est précieux, et le vôtre aussi, sans doute. On m'informe que vous avez des révélations à me faire sur un certain procès...

— *That is correct, your Excellency! The defendant...*

Le gouverneur l'interrompit et, du regard, lui montra les gardes :

— En français, je vous prie. Cette conversation doit rester entre nous.

— À votre guise. Je viens instruire Votre Excellence au sujet de Marie Carignan. Cette jeune femme est innocente.

— Une femme innocente… Excusez-moi, mais n'y a-t-il pas là contradiction dans les termes? C'est bon, je vais d'emblée vous mettre à l'aise. Contrairement à l'opinion du commun, j'ai mes doutes sur la culpabilité de l'accusée.

— Et vous avez mille fois raison! Le vrai coupable est devant vous.

— Voilà un aveu qui fait honneur à votre esprit chevaleresque, mais qui toutefois insulte mon intelligence.

— Nullement! Avec l'aide d'un acolyte, Xavier Maillard m'a tendu un guet-apens dans le bois, derrière le moulin Carignan. Je me suis défendu. Le corps du sergent Fowler est resté sur place avec mon poignard dans la gorge. J'ai blessé Maillard dans la mêlée, mais il a réussi à s'échapper. Je l'ai poursuivi et lui ai donné le coup de grâce dans son écurie.

Visiblement ébranlé par cette confession, Murray ouvrit le tiroir central de son bureau et sortit un poignard avec un monogramme gravé sur le manche : FLG.

— Qu'est-ce à dire? balbutia Le Gardeur. Je ne comprends pas. Pourquoi le juge Morris n'a-t-il pas été informé de...

Le gouverneur planta la lame dans la table d'un geste violent qui contrastait avec la maîtrise de sa voix :

— J'ai toujours voulu savoir à qui appartenait cette dague. Merci! Je cherchais une raison pour vous éloigner de Québec et vous me l'apportez sur un plateau.

Il prit une feuille de papier et se mit à écrire, tout en continuant de parler :

— Vous mériteriez que je vous envoie à la potence en compagnie de cette créature pour laquelle vous vous dites prêt à tout sacrifier. Mais vous m'êtes sympathique et vous semblez avoir une jambe mal en point. Pendre une personne handicapée serait une faute de goût, ne trouvez-vous pas? Bref, un petit séjour au bagne des Salières vous aidera à réfléchir... et à oublier.

— Mon sort est sans importance. Vous êtes un homme d'honneur, général Murray. Vous ne pouvez laisser condamner à mort une femme que vous savez innocente.

— Vous voyez la chose par le mauvais bout de la lorgnette. En chassant l'armée française, nous avons apporté la paix dans la colonie – une paix redevable en grande partie à l'appui du clergé, je le concède. Or les autorités épiscopales verraient d'un œil favorable la condamnation de l'accusée, pour des raisons que je préfère ignorer. La vie d'une petite Canadienne illettrée, c'est là un bien petit prix pour obtenir la pleine collaboration de l'Église aux politiques de l'État. *Do you not think so?*

Le Gardeur s'élança pour sauter à la gorge de Murray, mais les soldats l'en empêchèrent en l'empoignant sans ménagement. Il se débattit de son mieux, mais il était encore trop faible pour résister longtemps.

Le gouverneur parapha le document et fit signe à ses hommes d'emmener le prisonnier. Quand il se retrouva seul, il se versa un verre de porto. La première gorgée lui parut amère, la seconde saumâtre. Il eut alors la prémonition pénible qu'il se reprocherait longtemps la façon dont il avait expédié cette affaire.

Debout près de la fenêtre du petit parloir, Marie-Loup regardait le ciel, perdue dans ses pensées. Le garde chargé de sa surveillance somnolait debout près de la porte et sursauta à l'arrivée imprévue du capitaine Quesnel et d'Angélique de Roquebrune qui était à peine reconnaissable sous sa mantille noire.

— Faites diligence, madame, murmura Quesnel. Le gouverneur a dit trois minutes.

Là-bas, la détenue s'était raidie, ne sachant que penser de cette visite. Angélique la rejoignit d'un pas vif et l'embrassa, profitant du geste pour lui murmurer à l'oreille :

— Il est vivant.

Pâlissant de stupeur, Marie-Loup mit quelques instants avant de pouvoir parler. Elle dit enfin dans un souffle :

— Dieu soit loué ! Que lui est-il arrivé ?

— Il a été blessé dans une embuscade en se rendant au moulin. Les Sauvages l'ont tiré d'affaire *in extremis*. Il est venu à Québec dès qu'il a pu et est allé demander ta grâce au gouverneur. Il s'est accusé d'avoir lui-même tué ton mari…

— Non ! C'est faux ! Y faut pas le laisser dire une chose pareille.

— Hélas, c'est sans importance : personne n'entendra sa confession. C'est toi qu'ils veulent punir, ne me demande pas pourquoi.

— Oui, oui ! C'est moi qu'il faut châtier, pas lui. Surtout pas lui ! Par pitié, dites-lui que je ne veux pas !

— Je ne peux pas lui dire. On l'a éloigné de Québec – pour l'empêcher de parler, justement.

— C'est bien, oui ! Il faut le tenir éloigné, absolument. Tant qu'ils ne lui font pas de mal… Ah, que je suis soulagée !

— C'est étrange… Tu n'as donc pas peur ?

— Bien sûr que j'ai peur ! Mais c'est pas d'être pendue… Vous pouvez pas comprendre. Chez vous, quand vous m'avez dit que vous étiez mon amie… je ne vous ai crue qu'à moitié. Maintenant je vous crois tout entière. Je ne suis même plus jalouse.

Angélique la dévisagea, le regard chaviré. Puis elle lui prit les mains et lui dit avec une sincérité déchirante :

— Jalouse ? Ce serait bien le comble ! Si tu savais comme je t'envie, ma petite cul-terreuse. Quand je pense à tous les hommes qui sont passés dans ma vie, pas un seul n'a su m'aimer comme il t'aime. Tu vas mourir le cœur plein d'amour, et moi je vais vieillir avec un cœur qui n'a jamais servi.

Elles se jetèrent dans les bras l'une de l'autre – et le capitaine Quesnel dut se résoudre à user de force pour les séparer.

CHAPITRE 18

Le gouverneur Murray arriva discrètement sur la mezzanine qui dominait la salle d'audience. Sans remarquer la présence de son secrétaire Hector Cramahé, debout au dernier rang, il prit place parmi les officiers et les notables qui suivaient les délibérations en cours avec une contention inhabituelle. Il en comprit la raison en voyant le président du tribunal remplacer sa coiffe militaire par une toque noire – l'heure du verdict avait sonné :

— Le tribunal, après avoir délibéré, est d'avis que Marie Carignan, veuve Maillard, est coupable du meurtre dont elle est accusée. Pour cette raison, j'ordonne qu'elle soit enfermée dans une cage de fer et ainsi pendue au déclin du jour jusqu'à ce que mort s'ensuive.

La sentence fut accueillie par un grand silence, bientôt suivi d'un fort brouhaha.

James Murray tourna la tête, alors que la silhouette du vicaire général Briand surgissait de la pénombre d'une encoignure. Le gouverneur et le prélat échangèrent un regard entendu. Derrière eux, Cramahé baissa la tête en soupirant : il connaissait de longue date le meilleur de son ami et aurait préféré ne jamais être témoin du pire.

À l'avant de la salle, Marie-Loup avait fermé les yeux. Elle était complètement immobile, à l'exception de ses lèvres qui bougeaient imperceptiblement. À qui s'adressait-elle ? Récitait-elle une prière ?

— De l'ordre dans la salle! cria le lieutenant-colonel Morris. Il ajouta, se tournant vers la jeune femme : L'accusée a-t-elle quelque chose à déclarer?

— Oui, Votre Honneur.

Il y eut un moment de stupeur : c'était la première fois qu'on entendait sa voix depuis le début du procès – une voix claire et ferme. Elle poursuivit dans un silence de mort :

— Mon père a dit vrai. J'ai tué mon époux Xavier Maillard pour mettre fin à ses brutalités. Que Dieu ait pitié de mon âme.

Le brouhaha reprit de plus belle. Et, dans la mezzanine, James Murray fut incapable de dissimuler entièrement sa stupéfaction suite aux aveux de l'accusée.

— Que Justice soit faite! prononça le juge en abattant son maillet pour la dernière fois.

Il se leva et se dirigea vers la sortie, cependant que les soldats se saisissaient de Marie-Loup et lui passaient sur la tête une cagoule noire qui ne laissait voir que ses yeux.

Trois jours plus tard, flanquée de deux soldats, la condamnée sortait du couvent des ursulines où elle avait été gardée en détention depuis le début du procès. Elle portait une longue chemise de jute blanche et ses cheveux avaient été coupés aussi courts que ceux d'un garçon. Une charrette tirée par quatre chevaux l'attendait devant le porche. La journée tirait à sa fin.

Le curé de Preux s'avança vers la condamnée, accompagné de Colosse. Un officier leur barra la route; après une courte discussion, il consentit à laisser passer le prêtre, mais ordonna à Colosse de retourner derrière les grilles. Et, après avoir jaugé son gabarit, il fit signe à ses hommes de tenir le géant à l'œil.

De Preux rejoignit Marie-Loup au moment où le bourreau, le visage masqué, procédait à l'emprisonnement de la malheureuse à l'intérieur d'une cage qui lui entourait le corps de la nuque aux pieds, à la manière d'un étroit corset de fer. Une lueur passa dans son regard éteint lorsqu'elle aperçut le curé. Ses lèvres frémirent et elle regarda autour d'elle comme au sortir d'un rêve. Elle reconnut la silhouette du forgeron de l'autre côté de la cour et trouva la force de lui sourire.

Colosse tomba à genoux et se signa.

Trois hommes la transportèrent sur la plate-forme de la charrette où on assujettit la cage avec des cordes pour la maintenir en position verticale. C'est dans cet appareil qu'elle allait être paradée devant la populace, afin que son supplice servît d'exutoire aux honnêtes gens et d'avertissement à la racaille.

La chambre mansardée de France donnait sur un parc boisé, à l'arrière de l'hospice de la Miséricorde. La fillette était occupée à faire une broderie aux petits points, aidée par sœur Agnès, une novice de la Congrégation.

Soudain, une rumeur de foule se fit entendre dans le lointain.

— C'est quoi ? demanda France en levant les yeux de son ouvrage.

La novice alla fermer la fenêtre et répondit, le regard fuyant :

— C'est rien, juste une procession pour... pour la Sainte-Thérèse ! Cela ne vaut pas la peine de se déranger. Et puis, tu sauras qu'on ne dit pas «c'est quoi», mais «qu'est-ce que c'est».

La petite fit mine de se contenter de la réponse reçue. Alors que les rumeurs et les cris se rapprochaient, elle demanda d'un ton détaché :

— Me feriez-vous une charité, sœur Agnès ? J'attends un billet de ma mère. Pourriez-vous aller voir pour moi ?

La novice se troubla et fit un signe d'acquiescement, incapable de se hasarder dans un nouveau mensonge.

France attendit qu'elle se fût éloignée, puis sortit de sa chambre en catimini, le regard inquiet.

Un détachement de cavaliers à tuniques rouges entourait la charrette qui conduisait Marie-Loup au lieu de son exécution. Des hommes, des femmes et des enfants en grand nombre s'étaient massés pour la voir passer et leurs vociférations se faisaient de plus en plus fortes et hargneuses. La plupart d'entre eux allaient ensuite rejoindre le cortège qui s'allongeait à vue d'œil.

La condamnée enserrée dans son carcan de fer regardait droit devant elle, le visage impavide. Sa respiration se précipita alors que l'attelage passait à la hauteur de l'hospice de la Miséricorde. Elle tourna la tête, pas trop toutefois pour ne pas laisser deviner qu'elle avait une raison particulière pour s'intéresser à cette demeure. À la fenêtre d'une mansarde du dernier étage, elle vit apparaître France, les yeux écarquillés et la bouche ouverte dans un cri silencieux.

La mère et la fille échangèrent un regard intense et ardent où elles se dirent en une seconde éternelle qu'elles s'aimaient depuis toujours – et qu'elles s'aimeraient à jamais.

Marie-Loup leva ses mains liées et mit deux doigts sur ses lèvres, comme si elle y déposait un baiser. Dans la foule, une femme échevelée se mit à crier :

— Regardez-la! Elle sourit, la diablesse. Je l'ai vue, elle a souri, j'vous dis. Ah, la maudite!

Là-haut, la silhouette de mère Marthe-de-la-Passion apparut derrière France. Elle la prit à bras-le-corps pour l'emmener, mais la petite se démena et, folle de douleur, poussa un hurlement déchirant :

— Maman!

Ses ruades et ses coups de pieds firent éclater les carreaux de la fenêtre. Elle perdit alors connaissance et s'affaissa dans les bras de la religieuse.

L'attelage arriva sur les Buttes-à-Nepveu, non loin des plaines d'Abraham, et fit halte sous un chêne majestueux et solitaire.

Jouant des coudes, la foule se pressait en cercle autour de la charrette. Les soldats furent obligés d'intervenir pour repousser les plus hardis, car il fallait maintenir à une distance respectueuse le cérémonial et notamment réserver les meilleures places aux dignitaires de la ville.

La lumière oblique du soleil couchant étirait démesurément les ombres sur le pré. Un vol de corneilles – funeste présage – passa dans le ciel à basse altitude et plusieurs habitants esquissèrent un signe de croix pour conjurer le mauvais œil et se prémunir contre un ultime maléfice de la sorcière.

Le bourreau se hissa sur la plate-forme de la charrette et saisit l'épaisse corde de chanvre qui descendait d'une branche maîtresse du chêne, puis passa le nœud coulant au cou de la condamnée. Le curé de Preux était monté à sa suite, un crucifix à la main, le menton agité d'un tremblement incontrôlable.

— Je t'en supplie une dernière fois, Marie-Loup. Tu as avoué ton crime, alors pourquoi refuser l'absolution? Tu vas mourir en état de péché mortel… Pour l'amour de Dieu, mon enfant, confesse-toi!

Elle le regarda au fond des yeux:

— Je ne peux pas.

Elle frissonnait de tout son corps comme si le froid glacé de la mort avait déjà envahi ses os. Puis elle promena un regard d'incompréhension sur la foule qui la huait encore et répéta, hébétée: «Je peux pas, je peux pas.»

Le bourreau fit signe au prêtre de descendre de la charrette. Qu'éprouvait-il, derrière son masque de cuir noir? De l'indifférence? de la satisfaction? de la pitié? Il mit pied à terre à son tour et détacha un long fouet à six lanières de sa ceinture. Puis il s'immobilisa, les yeux tournés vers le couchant.

Sur les Buttes-à-Nepveu, les clameurs s'éteignirent et furent remplacées par un silence poignant, quasi irréel. Le disque rouge du soleil s'enfonça inexorablement derrière la crête des lointaines collines. Un reflet de braise éclaira le visage de Marie-Loup.

Elle ferma les yeux : elle attendait la délivrance de la mort.

Au milieu de la foule, la vieille Hortense s'était tue, elle aussi. Tout à l'heure, pourtant, elle s'égo-sillait dans les vociférations et les injures. Mais un trouble l'avait saisie, qui à l'instant se changeait en effroi. Soudain, ses larmes jaillirent et elle secoua la tête en murmurant : «Non! non!»

Une dernière lueur crépita sur la ligne d'horizon, puis plus rien. Le bourreau leva son fouet et l'abattit avec force sur la croupe des chevaux qui, après une ruade, partirent au galop.

Retenue par la corde, la lourde cage de fer glissa sur la plate-forme et tomba dans le vide.

CHAPITRE 19

Sept mois et sept jours s'étaient écoulés depuis la mort de Marie-Loup. Levée par de violentes bourrasques, une poudrerie drue aveuglait les fenêtres de la forge. On était au milieu de l'après-midi et pourtant il faisait aussi sombre qu'au coucher du jour.

Debout devant son enclume, actionnant du pied le gros soufflet en cuir craquelé, Colosse chauffait un fer qui passait du rouge incandescent au blanc. De hautes flammes émergeaient des tisons et répandaient dans la grande pièce une clarté couleur de safran. Il regarda passer Mélodie qui portait un bol de tisane fumante et ses yeux s'attardèrent sur le ventre rond avec une fierté sans mélange. Après qu'il l'eut dûment rachetée au curé, elle avait été son esclave pendant dix jours – avant qu'il l'affranchisse devant notaire et l'épouse devant Dieu.

Elle posa l'infusion sur la table devant Madeleine Carignan qui avait bravé la tempête pour venir leur rendre visite sans motif aucun – sinon le besoin d'épancher son cœur et de fuir pour une heure ou deux son enfer quotidien. Elle n'était plus que l'ombre d'elle-même. Son visage s'était creusé et son regard trahissait un chagrin et une lassitude sans borne. Mélodie s'assit en face d'elle et lui prit les mains.

— J'en peux plus, dit la pauvre femme en se mettant à pleurer. Mon mari... il est en train de perdre la tête. Il marche la nuit dans la maison pendant des heures… Je peux plus fermer l'œil… Je m'inquiète pour la petite, tu comprends?

— Pauvre France… Je pense à elle tous les jours.

Colosse leur tournait le dos, absorbé par son travail; pourtant il dit de sa voix de baryton, comme s'il s'adressait aux braises du fourneau :

— Faut la protéger! La Marie-Loup, quand qu'elle m'a regardé avant de monter dans la charrette, c'est ça qu'a m'a dit avec ses yeux : «Faut la protéger.»

— J'ai plus la force, dit Madeleine en se prenant la tête dans les mains. Jugez-moi pas mal, mais demain je la ramène au couvent… Elle grandira là-bas… De toute façon, elle peut pas être plus malheureuse qu'elle est en ce moment.

Mélodie frissonna en sentant passer un courant d'air glacé sur sa nuque. Intriguée, elle se leva et alla voir au fond de la forge. Elle découvrit qu'une fenêtre était à demi-ouverte et qu'il y avait une traînée de neige sur le plancher. Elle fronça les sourcils, cherchant à comprendre. Puis elle repoussa la croisée, en s'assurant qu'elle était maintenant bien assujettie. Avant de s'éloigner, elle jeta un coup d'œil dehors et eut l'impression qu'une ombre fugitive s'évanouissait dans les tourbillons de la poudrerie.

Dans la salle commune du moulin, France était accroupie devant l'âtre et tentait de réchauffer ses mains devant le feu mourant. Elle avait maigri et son visage reflétait les épreuves des derniers mois. Soudain, elle tendit l'oreille, car il lui avait semblé entendre du bruit à l'arrière de la maison. Non, elle s'était sans doute trompée. Mais pourquoi sa grand-mère tardait-elle tant à rentrer? Se pourrait-il qu'elle se fût égarée dans la tempête?

Du coin de l'œil, elle observait avec inquiétude la silhouette massive de son grand-père qui marchait de long en large devant la porte, jouant nerveusement avec un bout de corde en marmonnant des propos décousus :

— … injuste ! La Cour ordonne… faites pas ça, m'sieur le juge… coupable de meurtre… mais non, j'y suis pour rien ! Comment que vous l'avez élevée, vot' fille ? Pas de repas sur la table quand j'arrive… Ah, la fripouille !

Les yeux égarés, Joseph Carignan nouait et dénouait la corde, puis la tendait d'un geste sec comme pour s'assurer de sa solidité. Il ricanait et sanglotait tout à la fois.

De plus en plus effrayée, France se redressa et s'esquiva sans bruit. Passant par sa chambre pour aller prendre sa poupée Cassandre, elle s'immobilisa au pied du lit, les yeux écarquillés de stupeur : une seconde poupée, représentant un guerrier abénaquis, était posée à côté de la première. Elle se mit à trembler et regarda autour d'elle en gémissant, comme si elle craignait l'apparition d'un fantôme.

— Maman ? dit-elle d'une voix étranglée.

Dans la pièce voisine, Carignan l'entendit parler et, se méprenant, alla la chercher du côté de la cuisine, sans interrompre son soliloque haletant et morbide :

— … enfermée dans une cage… jusqu'à ce que mort s'ensuive. Je sais pas, Votre Honneur, j'étais point là… Ainsi pendue au déclin du jour… Où ce qu'elle a passé, la petite peste ?

De retour dans la salle commune, il se rendit compte que la porte d'entrée était entrebâillée. Il regarda dehors et aperçut sur la neige les empreintes de France qui s'éloignaient vers le milieu de la cour.

Essoufflée par sa course, France avançait dans la pénombre de la maison désertée. Elle murmura à nouveau, avec un effroi grandissant : « Maman ? » Le froid intense transformait sa respiration en vapeur blanchâtre. Plusieurs vitres avaient été brisées par des cailloux qui jonchaient encore le plancher ; de gros tas de neige s'étaient accumulés au pied des fenêtres. Là-bas, une nappe restée inachevée sur le petit métier à tisser était piquée de taches de moisissure. La désolation du lieu était extrême.

Soudain, la porte s'ouvrit sous une poussée si violente que le battant sortit de ses gonds et s'abattit de guingois contre le mur. La fillette poussa un cri de terreur. Carignan entra, maniant toujours son bout de corde. Un filet de salive coulait sur son menton :

— … on va lui apprendre à obéir… c'défendu de venir ici… Une sorcière, qu'y disaient… c'pas de ma faute. C'te maison est maudite… C'est quoi que ça sent ici ? La charogne, Votre Honneur !

France s'était réfugiée dans un coin, terrorisée. Le meunier fit deux pas vers elle, mais se figea en entendant dans son dos une voix impérieuse qui l'appelait par son nom :

— Joseph Carignan !

Il se retourna d'un bond et hoqueta de saisissement : un revenant se tenait dans l'embrasure de la porte. Sa barbe était hirsute, son visage émacié, mais ses yeux étaient vifs et clairs. France le regardait elle aussi, la bouche ouverte. Il lui fit un clin d'œil. Elle sut qu'elle ne rêvait pas et ses lèvres prononcèrent silencieusement : «François !»

Carignan s'ébroua comme si le choc qu'il venait de subir le ramenait momentanément à la raison. Il lança avec hargne, les yeux papillotants :

— J'te reconnais, toi ! C'est quoi qu'tu fais icitte ? C'pas une place pour les bagnards.

— Je viens chercher ma fille.

— La vilaine, là ? Tu me la bâilles belle ! Et depuis quand que c'est ta fille ?

— Depuis tout de suite. Demandez-lui, pour voir.

Carignan toisa la fillette qui soutint son regard et hocha lentement la tête. Il cria, hors de lui :

— Ah, la petite vipère ! T'es comme ta mère, possédée par le diable. Tu finiras comme elle !

— C'est vous le diable! hurla-t-elle. Elle avait rien fait de mal… C'est à cause que vous l'avez accusée qu'elle est morte!

— Prends garde à ce que tu dis, la morveuse! Le Maillard, c'pas moi qui l'a tué, c'est elle. C'pour ça qu'ils l'ont pendue!

Le Gardeur s'interposa entre le meunier et l'enfant. Il mit son bras derrière son dos en agitant les doigts et il sentit presque aussitôt une petite main confiante glisser dans la sienne. La douceur de ce contact l'aida à contenir sa violence quand il apostropha le meunier. Il ne lui parla pas longtemps – une minute à peine. Mais quand il eut terminé, Joseph Carignan tomba à genoux d'un seul bloc, les jambes fauchées. Ses os craquèrent en frappant le plancher. Les yeux vitreux, il ouvrit et ferma la bouche comme s'il manquait d'air. Une plainte sourde et monocorde monta des tréfonds de son être. Il était anéanti. Le peu de lumière qui éclairait jusqu'alors son esprit venait de s'éteindre pour de bon.

ÉPILOGUE

Les premières lueurs du jour entraient dans la chambre commune de l'hospice de la Miséricorde où France avait passé la nuit à veiller le curé de Preux, dont la respiration devenait de plus en plus irrégulière. Il émergea d'un moment d'absence et plissa ses paupières lourdes comme s'il avait de la peine à reconnaître le visage penché vers lui. Il murmura enfin, les lèvres tremblantes :

— Tu es restée ? Merci… il ne fallait pas. Qu'importe à présent… ce ne sera plus bien long. Dis-moi, France : as-tu des enfants ? Non… dis-moi plutôt : es-tu heureuse ?

— Je le suis. Après m'avoir tout pris, la vie m'a rendu le meilleur.

— Et lui… François Le Gardeur… Sais-tu ce qu'il est devenu ?

— Comment pourrais-je l'ignorer ? Il est aujourd'hui ambassadeur à Londres. Pour moi, il a aussi un autre titre plus important, il est…

Le vieillard l'interrompit pour revenir à la pensée qui l'obsédait jour et nuit :

— Jusqu'au dernier instant… j'ai supplié ta mère de se confesser… et jusqu'au dernier instant elle a refusé. Je n'ai pas pu lui donner l'absolution… C'est là mon plus grand tourment… de savoir qu'elle est morte… en état de péché. Pourquoi a-t-elle renoncé au pardon divin ? Pourquoi ? Hélas ! Elle n'est plus là… et personne ne peut répondre à sa place.

— Si! dit France d'une voix ferme. Moi, je peux...

Ce fut le lendemain du jour où Marie-Loup avait chassé Maillard de la ferme à la pointe du fusil et qu'il lui avait crié, haineux : «Ton bel amant, tu le reverras jamais!»

Le soleil n'était pas encore levé. La lumière incertaine de l'aube entrait dans l'écurie où France donnait à manger aux pourceaux. Elle se retourna en entendant un craquement derrière elle et poussa un gémissement de frayeur en reconnaissant dans la pénombre la silhouette trapue de son beau-père. Elle s'éloigna en laissant ouverte la porte du petit enclos; les bêtes en profitèrent pour sortir et se mirent dans les jambes de Maillard qui les chassa à coups de galoche.

Il s'approcha de la fillette, l'œil torve, en détachant lentement la ceinture de corde de son pantalon. France reculait, terrorisée. Elle ouvrit la bouche pour appeler à l'aide, mais il la menaça, la voix avinée :

— Si tu cries, j'te tue!

Elle fut acculée contre un tas de bois et dut se retenir à deux mains pour ne pas tomber. Elle sentit sous ses doigts le manche d'une hache et l'agrippa d'un geste instinctif. Ne se doutant de rien, Maillard continuait d'avancer en grognant d'excitation, la main dans sa braguette.

Quelques instants plus tard, couverte de sang, France fit irruption en titubant dans la cuisine où Marie-Loup était occupée à trancher du pain pour le petit déjeuner.

La mère poussa un cri, laissa tomber la miche et le couteau et s'élança pour soutenir sa fille qui s'effondra dans ses bras.

Dans la chambre commune, plusieurs vieillards s'étaient réveillés et, les yeux luisants au fond de leurs orbites creusées, observaient avec curiosité le curé de Preux qui s'était à demi dressé sur son lit et dévisageait avec stupeur la belle inconnue assise à son chevet :

— Ainsi c'était toi… balbutia-t-il avec stupeur. Ma pauvre petite !

Il lui prit la main comme pour se raccrocher à la vie et la porta à ses lèvres avec un gémissement :

— Merci… Je m'en vais avec la vérité.

La vue brouillée par les larmes, elle lui effleura doucement les cheveux – et il puisa dans sa caresse l'ultime force pour murmurer :

— Ta maman t'a protégée… jusqu'à l'échafaud. Prie le bon Dieu… de me faire une petite place là-haut... à côté d'elle.

Sa tête aux cheveux blancs retomba sur son oreiller. Il rendit son dernier soupir.

Elle lui posa la main sur le bas du front pour lui fermer les paupières. Puis elle se pencha et lui retira des doigts la lettre que François avait jadis adressée à sa mère et la glissa dans l'échancrure de son corsage.

Dehors, une corneille croassait.

France sortit de l'hospice et regarda autour d'elle, désorientée. Le paysage d'automne était dilué dans les brumes du petit matin et, bien que la journée promît d'être radieuse, la lumière pour l'heure était pâle et comme éthérée.

Elle courut vers la berline. Sur la banquette exté-rieure, le cocher dormait, enroulé dans une couver-ture. Elle ouvrit la portière et tressaillit : la voiture était vide. Intriguée, elle balaya le paysage du regard et aperçut là-bas la silhouette de l'homme qui l'avait accompagnée. Il gravissait le sentier qui menait sur la crête de la falaise.

En allant le rejoindre, elle vit au loin à sa droite le grand chêne solitaire sur les Buttes-à-Nepveu et une image lui revint avec force devant les yeux, ralentissant son pas pour quelques instants : Marie-Loup en cage, debout dans la charrette, la regardant en levant la main pour poser deux doigts sur ses lèvres. Mère Marthe-de-la-Passion lui avait dit plus tard : «Ta maman t'a envoyé un dernier baiser.» France ne l'avait pas détrompée, car personne ne devait savoir que ce regard et ce geste signifiaient : «Je t'en supplie… Ne dis rien!»

François Le Gardeur arriva au sommet de la falaise et contempla le panorama du Saint-Laurent, en levant la main pour se protéger les yeux des feux du soleil levant. Il portait la bague cheva-lière qu'il avait jadis reçue en héritage. Ses tempes avaient grisonné, mais son visage n'avait rien perdu de sa détermination ni de sa générosité. Quoiqu'il eût passé une nuit blanche, pour rien au monde il n'avait voulu s'assoupir ne fût-ce qu'un instant, car la nuit et le silence avaient été propices à une promenade poignante dans ses souvenirs et il en revenait avec un sentiment de plénitude et de séré-nité tel qu'il n'en avait jamais connu.

Il se remémora le billet qu'il avait écrit à celle qu'il aimait, assis au bord de la rivière dans le village d'Odanak : *«Moi dans toi, je ne sais plus où tu commences et où je finis… J'entends ta voix dans tout ce qui vit et frissonne autour de moi. Tu me parles dans le souffle du vent, dans la rumeur du torrent, le crépitement du feu, le chant des oiseaux…»*

— Et tu me dis : «Reste! Je suis là.»

Il tressaillit en sentant soudain une présence à son côté.

— Avez-vous dit quelque chose, père?

— Moi? Non, rien…

France lui lança un coup d'œil et appuya la tête contre son épaule, cependant que son regard brillant se perdait dans le lointain :

— Moi aussi, je lui parle! murmura-t-elle. Tous les jours que le bon Dieu nous donne…